墨谷二中野球部キャプテンの軌跡

これは、まったくの無名だった「墨谷二中《すみやにちゅう》野球部」が、勝利という栄光を目指してひたむきに努力する、汗《あせ》と涙《なみだ》と感動の物語である。

そして、泣きながら、苦悩《くのう》しながら、仲間たちと喜び、苦しみをともにしながら、チームをひとつにまとめあげていった、キャプテンたちの成長の物語である。


物語は、中学2年生の谷口タカオが、墨谷二中に転校してきたところからはじまる。

谷口は、すぐに野球部に入部するが、そこで大きな問題に直面する。谷口がもともと通っていたのは、野球の超名門《ちょうめいもん》・青葉学院だった。その野球部にいたことから、谷口は「あの青葉のレギュラーがやってきた」と、みんなに誤解《ごかい》されてしまったのだ。

しかし実際には、谷口は、試合に出場したことすらない、2軍の補欠《ほけつ》だった。抜《ぬ》きんでた才能もセンスも実力ももっていない。それなのに、部員たちの期待は高まっていく……。

本当のことを言い出せないまま、谷口は、守備《しゅび》や打撃《だげき》を、みんなの前で披露《ひろう》するはめになる。

「青葉って、こんなもんかよ」——谷口は、恥《はじ》をかき、笑《わら》い者《もの》になってしまう。

谷口は、野球部をやめようと思った。しかし、父親に厳《きび》しい言葉で励《はげ》まされる。「だったら、青葉の選手として通用するくらい、うまくなれ」と。一念発起《いちねんほっき》した谷口は、父と二人で特訓《とっくん》を重ね、徐々《じょじょ》に実力を身につけていく。

そんな谷口の努力を、キャプテンの今井は見ていた。

3年生が引退する日。今井が次期キャプテンに指名したのは、谷口だった。

「谷口、今度はキャプテンとして、その努力でみんなの期待にこたえてくれないか？」

谷口キャプテンのもと、新チームがスタートを切った。もともとは、「楽しい野球」がやりたくて転校してきた谷口だったが、そのころには、「野球部をもっと強くしたい」と考えるようになっていた。自らの特訓《とっくん》を通じて、「努力すれば実現する」ということを知ったからである。がんばれば、墨谷二中だって強くなれる。谷口は、自らが必死になって猛練習に取り組むことにより、少しずつ墨谷野球部の意識《いしき》を変えていった。

谷口が3年生になったとき、新1年生としてイガラシが入部してきた。イガラシは、ずば抜けた野球のセンスの持ち主だった。

墨谷二中野球部には、一学期のうちは1年生を試合に出さないという慣例《かんれい》があった。谷口は、悩《なや》んだすえ、イガラシをレギュラーに起用することに決めた。そのことによって、レギュラーから外されたのが2年生の丸井である。

ショックを受けた丸井は、野球部をやめようと決意する。しかし、変わらず陰《かげ》で努力し続ける谷口の姿《すがた》を見て、丸井は、「逃《に》げ出《だ》す前に、もっとがんばればいい」と気づく。

丸井のレギュラー落ち、谷口と他の3年生たちとのあつれき……さまざまな問題に直面したが、谷口の懸命《けんめい》な想《おも》いが部員たちに通じて、野球部の結束《けっそく》はしだいに高まっていった。

そして、厳しい夏合宿をへて、いよいよ地区大会が始まった。墨谷はトーナメントを勝ち上がり、ついに決勝戦で青葉学院と戦うことになる。

谷口は、試合中に指を痛《いた》めながらも懸命《けんめい》に戦った。必死の総力戦《そうりょくせん》。しかし、あと一歩、力が及《およ》ばす、墨谷は青葉学院に敗《やぶ》れる。

谷口たち3年生が、野球部を引退するときがきた。谷口が、新しいキャプテンに指名したのは、丸井だった。そして、丸井や残された部員たちに、あとを託《たく》した。

谷口を心から慕《した》う丸井は、「必ず青葉学院を倒《たお》して全国大会に出場する」と誓《ちか》った。

墨谷二中野球部のふたたびの挑戦《ちょうせん》――熱い夏を目指す戦いが、今はじまる。

原作――ちばあきお
小説――山田明

キャプテン

Captain

Akio Chiba
Akira Yamada

答えより大事なもの

Gakken

墨谷二中　野球部の仲間たち

丸井――主人公。前キャプテンの谷口から、キャプテンを託される。右投げ右打ち。ポジションはセカンド。

丸井の同級生――加藤（ファースト）、島田（ライト）、河野（サード）、滝（ショート）、佐々木（センター）。

丸井の一学年下――イガラシ（ピッチャー）、小室（キャッチャー）、久保（レフト）。

丸井の二学年下――近藤（ピッチャー）、曽根。

小野寺舞――新聞部部長。

杉田――顧問の先生。

谷口タカオ――墨谷二中野球部OB。前キャプテン。

カバー・本文イラスト――loundraw

ブックデザイン――arcoinc

編集協力――高木直子、稲葉友子

DTP――四国写研

（注）本作品においては、一部、現在の中学野球の「競技ルール」「大会のシステム」に則っていない設定、記述があります。原作の趣旨を生かすための設定であること、あらかじめご了承ください。

プロローグ

今日から9月。新学期が始まる。

時計を確認《かくにん》すると、朝の4時。さすがにまだ暗い。でも、じっとしてなんかいられない。俺《おれ》は、起きて学校に行くことにした。いくらなんでも早すぎると思うけど、もういてもたってもいられなかった。

余裕《よゆう》がありすぎるほど時間があるのに、俺はぐんぐんとスピードをあげて歩く。というより、足が勝手に速く動いてしまう。もう走り出す寸前《すんぜん》だ。

学校に着いた。当たり前だけど、まだ誰《だれ》もいない。

走ってピッチャーマウンドまで行く。そして、その上から、まだ暗い野球部のグラウンドをぐるりと見回す。

今日から正式に墨谷二中《すみやにちゅう》野球部のキャプテンとしての日々が始まる。これから1年間、野球部のために全力を尽《つ》くしていこうと誓《ちか》う。

空を見上げる。まだ暗い空には、びっくりするほどたくさんの星が瞬《またた》いていた。そして大きな月がぽっかりと浮《う》かんでいる。月が、「ガンバレよ」と言っているような気がした。

どれくらい、そうしていただろう。ようやく東の空がうっすらと明るくなり始めた。

そうだ、グラウンドの整備をしよう。

今日がキャプテンとして初日。気持ちよくスタートを切ろう。みんなにも、きれいになったグラウンドで思い切り練習してほしい。

俺は部室に行くと、急いでユニフォームに着替《きが》えた。

トンボを引っ張り出し、それを持ってグラウンドに行く。時間はたっぷりある。どうせなら外野もきれいにしようと思った。

トンボでグラウンドをならしながら、小石を拾《ひろ》って歩く。

なんだか楽しくなってきた。野球部のみんなが喜ぶ姿《すがた》が、目に浮かんでくる。


♪俺は丸井《まるい》、新キャプテンだぜぇ〜


適当に作ったメロディーに、いい加減な歌詞《かし》をのせて歌いながら、せっせとグラウンドの整備をする。気がつくと、俺は汗《あせ》びっしょりになっていた。

外野の整備が終わり、内野へと移った。マウンドの周《まわ》りは円を描《えが》くようにていねいにトンボをかける。

太陽が昇《のぼ》り始めたころには、グラウンドはすっかりきれいになっていた。

マウンドから、日の出をながめる。

不思議《ふしぎ》な気持ちだった。今度は太陽から「ガンバレよ」と言われているような気がした。

はい、がんばります。そう心の中で答えた。

太陽に向かって手を合わせ、祈《いの》る。

もっと野球がうまくなりたいです。もっと野球部を強くしてください。

いや、待てよ。せっかく頼《たの》むんだから、もっと具体的なほうがいいな。

そうだ！　青葉学院《あおばがくいん》に勝たせてください。そして、俺たちを全国大会に出場させてください。

いや、青葉は全国大会で優勝したんだ。俺たちだって日本一になれるんだ。

墨谷二中野球部を日本一にしてください！

目をとじ、手を合わせたまま祈《いの》り続ける。

暖《あたた》かさに体が包《つつ》まれた。ただ単に日が昇ったからかもしれないけれど、俺は、太陽が応援《おうえん》してくれているような気がした。

「やるぞ！」

実際に声に出して言った。

そうだ。今、学校にいるのは俺一人。誰も見ていないし、誰も聞いていない。気がねなく、大声で叫《さけ》んでやろう。

「青葉学院に勝つぞぉ！」

「日本一になるぞぉ！」

みんなとグラウンドで大喜びをするシーンが頭の中に浮かんできた。みんなに囲まれ、笑顔で抱《だ》き合《あ》い、俺は喜びの中にいる。

できる。絶対にできる。

「やるぞぉぉぉ！」

最後にもう一度、俺は力の限《かぎ》り叫んだ。

「おう、ガンバレ！」

そんな声が聞こえた。

え？　驚《おどろ》いてグラウンドの外を見ると、フェンスの向こうに、犬の散歩《さんぽ》をしているおじさんの姿《すがた》があった。おじさんはニコニコと俺を見ている。

しまった、見られてた！

気まずい。俺はトンボをかつぐと、走って部室へと戻《もど》っていった。

1st

イニング

〈丸井〉


「諸君《しょくん》、日本一を目指そうではないか！」

朝練《あされん》前のあいさつで、みんなにそう声をかけた。

でも、みんなはキョトンとした顔で俺を見ている。

あれれ？

俺の脳内《のうない》イメージでは、「キャプテン、やりましょう！」と言ってみんなが集まってきて、そのままの熱い流れでランニングが始まるはずだったのに……。

「おい、わかってるのか？　君たちといっしょに日本一を目指したいとボクは言ってるんだよ」

「丸井さぁ、『諸君』とか『君たち』とか『ボク』とか、そういう変な言葉づかいするの、やめてくれる？　なんか気持ち悪いんだけど」

副《ふく》キャプテンの加藤《かとう》が言った。

気持ち悪い？　なにを言ってるんだ。俺は、キャプテンとしての意気込《いきご》みを話してるんじゃないか。

「いや、ボクは墨谷二中野球部のキャプテンとしての抱負《ほうふ》を、みんなに伝えたいと思ってるんだよ。君だって副キャプテンとしてだな――」

「丸井、あと、あいさつが長いから！　頼《たの》むよ、早く練習始めようぜ！」

ブハッと笑い声がもれた。見ると、１年のイガラシが顔を真《ま》っ赤《か》にして、それでもなんとか笑いをこらえようと下を向いている。

「イガラシ、なに笑ってるんだ！」

「スイマセン。でも、ホントにあいさつが長いから」

「そんなことないって！　キャプテンとしての考えを、みんなにわかってもらわなくちゃダメなんだよ。いいか、よく聞け――」

「もういいよ！」

「もう5分くらい話してるぞ！」

「早く練習しましょうよ！」

みんなが口々に言い出した。

大きなため息《いき》が出る。最初が肝心《かんじん》だからと張り切っていたのに、思い切り出鼻《でばな》をくじかれてしまった。

「わかったよ！　始めりゃいいんだろ、始めりゃあ！　じゃあ、まずはランニングからだ！」

俺は先頭に立ち、走り出した。きれいに整備したグラウンドがとても気持ちいい。

でも……。

正直いって、おもしろくない。グラウンドが整備されていることに、誰も気がつかないからだ。せっかく俺が小石まで拾ってきれいにしたっていうのに。

「あのさぁ、お前ら、グラウンド走ってて、なんか気がついたことない？」

走りながら、後ろを振り向いて言った。

「あぁ、なんか、小石が落ちてるな」

そう言って、俺のすぐ後ろを走っていた佐々木《さ さ き》が、地面を蹴《け》とばした。小石を蹴ったのだろう。

「いや、落ちてねえって！」

思わず大きな声になってしまった。

佐々木は不思議そうな顔をしている。

「いや、落ちてたし」

そりゃあ、1個や2個くらい見逃《みのが》すこともあるって。

そう言いたかったけど、黙《だま》っておくことにした。それを言ったら、逆《ぎゃく》にグラウンド整備をしたことをアピールしていると思われそうだからだ。

かげの努力は、いちいち人に言う必要はない。それを、俺は、前キャプテンである谷口《たにぐち》さんから学んだ。そして俺は、谷口さんのようなキャプテンになりたいと願っている。

でも……やっぱりちょっとおもしろくない。みんなの喜ぶ姿《すがた》が見たくて、グラウンドの整備をしたのに。

「墨二ファイトォ！」

代わりといってはなんだけど、俺は大きな声を出すことにした。

「どうした！　お前ら、声を出せ！」

「ふぁいと〜」

と何人かが声を出した。

「バカ野郎！　声を合わせろ！　いくぞ、墨二ファイト！」

「墨二ファイト！」

「もっとデカい声で！　墨二ファイ！」

「オー！」

「ファイ！」

「オー！」

「ファイ！」

「オー！」

グラウンドを大きく10周。その間ずっと、俺は掛《か》け声《ごえ》を出し続けた。


「よーし、ノックするぞ！」

ランニングのあとのキャッチボールを終え、俺は次の指示を出した。

「ノッカーは、俺と加藤と佐々木。あとの連中《れんちゅう》はそっちに並《なら》んどけ！」

そしてノックの距離《きょり》を、夏合宿でやったときのようにぐっと近づけた。その距離およそ10メートル。ピッチャーとバッターの距離が18メートルほどだから、その約半分といったところだ。

「いきなり厳《きび》しいな」

加藤が苦笑《にがわら》いして言った。

「もちろんだよ。谷口さんがキャプテンだったころ、俺たちはこうやって強くなったんだからな。同じようにやれば、絶対に間違《まちが》いないから」

「あのー、ちょっといいですか」

イガラシが声をかけてきた。イガラシは1年生だけど、野球のセンスがずば抜《ぬ》けている。しかも、技術だけじゃなく、考え方もすごい。一学期のころから、俺は何度となくイガラシからアドバイスを受けていたほどだ。

ただ、野球部の、今のキャプテンは俺だ。

「なんだ?」

「新しいチームになったばかりなんですから、いきなり厳《きび》しくやらずに、基礎的な練習をしっかりやったほうがいいと思うんですけど」

「基礎的?」

「はい。秋の大会は10月の下旬《げじゅん》からですよね。試合に向けた夏合宿のときのような練習は、もう少し後でもいいと思うんですよ。みんなの実力にもバラつきがあるし、まずはレギュラーを見極《みきわ》めることから始めるべきなんじゃないですかね」

ちょっとイラッとした。

「キャプテンはお前なのか？」

「え？　キャプテン？　キャプテンは丸井さんですよね？」

「じゃ、えらそうに口を出すなよ。俺は谷口さんの練習法が最高だと思うから、それをやろうとしてるんじゃねぇか。それとも、谷口さんのやり方が間違ってたって言うのか⁉」

「いや、そういうことじゃなくて、まずはレギュラーを――」

「いいから、余計《よけい》な口出しはするな！」

イガラシが黙《だま》った。そして、ちょっとムッとしたような顔をして、そのまま行ってしまった。

うーん、まずかったかな。イガラシの後姿《うしろすがた》を見ながら思った。

つい大きな声を出してしまった。どうも俺は、昔《むかし》からカッとなると、見境《みさか》いがなくなってしまう。谷口さんは大声で怒鳴《どな》るなんてことはしなかった。むしろ、谷口さんは、後輩《こうはい》の意見にもよく耳を傾《かたむ》ける人だった。

俺が尊敬しているのは、谷口さんの練習方法だけじゃない。人間性もだ。

「おーい、イガラシ、ちょっと待てよ!」

そう声をかけ、俺はイガラシを追いかけていった。


〈イガラシ〉


どうしちゃったんだ、丸井さんは?

わざわざ追いかけてきたと思ったら、「キミの言いたいことはわかるけど、しばらくはボクのやり方を見守ってくれないか」なんて、気味の悪い口調で話しかけてきた。

まぁ、話し方はそのうち飽《あ》きてやめるだろうけど、あの谷口さんべったりな考え方は、もう少しどうにかならないだろうか。谷口さんがいたころとは、状況《じょうきょう》もメンバーも違うんだから、そのあたりをもっと考えるべきだろう。

「イガラシ、丸井さんになにを言われたんだ?」

同じ1年の久保《くぼ》が声をかけてきた。久保は、1年の中では、かなり野球がうまいので、俺はよくこいつと話をする。

「よくわからない。丸井さん、なに考えてんだろうな?」

「最初だから張り切ってんだよ。そのうちのんびりやるようになるさ」

「いや、のんびりする必要はないんだけど――」

そう、のんびりする必要も、余裕もない。俺は基本的に「日本一を目指す」という丸井さんの考えに大賛成だ。ただ、その方法として、基礎を無視《むし》して、いきなりガンガンやるというのが違うと思っただけだ。

まずはレギュラー候補《こうほ》を選ぶ。そのうえで、さらなる実力をつけるために厳しい練習を課すというのならわかる。ただ、やみくもに厳しくやるだけではダメだ。もっとシビアに、もっと効率《こうりつ》よくやらなきゃ、墨谷二中が日本一になんてなれるわけがない。

「おーい久保とイガラシ、早くこっち来い!」

丸井さんの声が聞こえた。俺たちがノックを受ける番が回ってきたようだ。

「ハイ!」

走って守備位置についた。3年生が抜《ぬ》けた穴《あな》のいくつかは、俺たち一年が埋《う》めることになる。きっと久保もレギュラーになるだろう。

「行くぞ!」

丸井さんがボールを打った。かなり強い打球だ。俺はグローブを差《さ》し出《だ》し、それをさばく。

いい感じだ。気持ちよく捕《と》ったボールをキャッチャーに返した。

日本一を目指すか。

俺はノックを受けながら、丸井さんの言葉を振り返る。

日本一——いい響《ひび》きだ。必ず日本一になろう。

そんなことを考えながら、俺は飛んできたボールに飛びついていった。

「おい、小野寺《おのでら》！　あの記事、なんだよ！」

俺は教室でクラスメイトの小野寺舞《まい》を怒鳴《どな》った。小野寺は新聞部の女子で、二学期からは部長になったらしい。

新聞部が発行した校内新聞が掲示板《けいじばん》に張《は》り出《だ》してあった。

記事の大半は野球部のことだった。夏の大会での俺たちの快進撃《かいしんげき》や青葉学院との決勝戦について書かれていた。ところが、記事の最後で野球部の二学期からの体制について触《ふ》れていて、その中に、「丸井新キャプテンは感情的になりすぎるところがある」とか、「チームワークに不安」なんて書いてあったのだ。

小野寺はびっくりした顔で俺を見ている。

「なに、丸井くん。なんか怒《おこ》ってるの？」

「当たり前だろ!?　あの記事なんだよ？　あの校内新聞のことだよ！」

「読んでくれたんだ。よく書けてるでしょ？」

「よく書けてるとかじゃなくて、なんだよ、『チームワークに不安』て。しかも、俺が『感情的』とか書いてあるし。俺は感情的なんかじゃないって！」

　小野寺は、クスクスと笑いながら俺を見ている。

「だって今も、すごい怒ってるし。そういうことを言ってるんだけど」

「いや……だって、あんな書き方されたら、誰だって怒るだろう」

　もっともな指摘《してき》だった。たしかに、「俺は感情的なんかじゃない！」なんて怒鳴るのは、矛《む》盾《じゅん》している。俺はなんとか声のトーンを抑《おさ》えた。

「とにかく、ああいうこと書かれたら迷惑《めいわく》なんだよ」

「あのねぇ、新聞には問題提起《もんだいていき》も必要なんです。なんでもかんでも、ただ素晴《すば》らしいって書けばいいってもんじゃないから。それにあの記事は、立派《りっぱ》な取材の成果《せいか》よ」

　ということは、誰かが小野寺に、俺のことを悪く言ったってことか。

「おい、じゃあ誰がそんなこと言ったのか教えろよ。そいつと直接話するから」

「取材源《しゅざいげん》を明かすわけないでしょう。それをやったら、もうネタを提供してもらえなくなるじゃない」

小野寺が得意そうに言った。

あーあ、こりゃあダメだ。どうやら理屈《りくつ》では、小野寺にかないそうもない。

「とにかく、あの記事は迷惑《めいわく》なんだよ！　野球を知らない奴《やつ》が勝手なこと書くな。書かれるほうの身にもなれよ！」

結局、俺はまた怒鳴《どな》ってしまった。


「ちょっと待ってくださいよ！」

イガラシが珍《めずら》しく大声を出した。

放課後の野球部の練習。これからフリーバッティングを始めるところだった。バッティングピッチャーにイガラシ。そして俺は、バッターに2メートルほどイガラシに近づいて打つよう、指示を出したところだった。

「まだ速球に目を慣《な》らすような段階じゃありませんよ。普通《ふつう》の距離から打って、打撃《だげき》の感覚を養《やしな》う時期だと思いますけど」

「それは、ティーバッティングでさんざんやったろう！」

「ティーバッティングはティーバッティングです。ピッチャーの球《たま》を打つフリーバッティングとは別《べつ》ですから。とにかくきちんと段階を踏《ふ》んで練習をすべきです」

「いいんだよ。谷口さんは、このやり方で結果を出してきたんだから」

「どうして、そんなに谷口さん、谷口さんなんですか？　丸井さんがキャプテンなんでしょう？」

「そうだよ。俺がキャプテンだよ。だから、そのキャプテンのやり方に、いちいち文句《もんく》をつけるなって言ってるの。言われた通りにやりゃあいいんだ！」

イガラシが黙《だま》った。また、ふてくされた顔をしている。

「とにかくバッターは2メートル、イガラシに近づいて打て！　そんで、イガラシは文句を言わずに投げろ。わかったか！」

フリーバッティングが始まった。

バッターの河野《こうの》が苦戦している。やはり、２メートルも近づいてイガラシの球を打つのは厳《きび》しいようだ。

「河野、よくボールを見て打て！」

返事がない。

「聞いてんのかよ？　ボールをよく見ろよ！」

「見てるよ。けど、打てねーんだよ」

河野が言い返してきた。

「だったら工夫《くふう》しろ！　打てないなら、打てるようになれよ！」

「じゃあ丸井、お前が手本見せてくれよ」

河野が挑《いど》むような目をしている。

「おう、やってやるよ。よく見とけ！」

バットを手に、俺は打席に入った。

「こい、イガラシ！」

イガラシは返事をしない。無言《むごん》のまま振りかぶり、第1球を投げた。

びゅん！

ものすごい速球だった。俺は空振《からぶ》りをしてしまった。

2球、3球と、空振りを続けた。イライラしてくる。こんなはずじゃない。

「おいイガラシ、もうちょっとスピード落とせよ。打撃練習《だげきれんしゅう》なんだぞ」

「バッターにわざわざ近くに立たせておいて、ピッチャーにスピードを落とした球を投げさせるんだったら、最初から普通《ふつう》の位置で打てばいいんじゃないですか」

イガラシがさめた表情で言った。

なるほど、その通りだ。わざわざ近くに立っておいて、遅い球を要求するなんて理屈《りくつ》に合わない。たしかに最初は、普通の距離から始めたほうがよかったかもしれない。

でも、今さら打つ位置を変えるわけにはいかない。それをしたら、俺が間違っていたと認《みと》めるようなものだ。いくらなんでも、それではキャプテンの立場がなさすぎる。

「わかった、イガラシ、好きなように投げろ」

そのままフリーバッティングを続行した。俺は気合いでバットを振り、何球かはヒット性のあたりを打つことができた。でも、空振《からぶ》りも多かった。

そして、河野をはじめ、他の連中にも同じ位置からイガラシの球を打たせた。やはり、ほとんど誰もイガラシの球を前に飛ばすことはできなかった。

まるで練習にならない。守備についている連中が退屈《たいくつ》そうにしている。ボールが飛んでこないのだから当然だろう。

活気《かっき》がなく、チームの雰囲気《ふんいき》が悪い。無性《むしょう》に腹が立った。

〈**小野寺舞**〉

「舞センパイ、ホントに行くんですか？　野球部のキャプテンが怒ってるんですよね？」

後輩の祥子《しょうこ》ちゃんが追いかけてきた。少し心配そうな顔をしている。

「大丈夫《だいじょうぶ》、大丈夫。丸井くんは単純だから、もう忘れてるって」

そう気楽に言ってグラウンドへと向かう。野球部の練習を見学するためだ。たぶんもう練習は始まっているだろう。でも本当は、今日の丸井くんとの言い合いを、わたしは少し気にしていた。

校舎《こうしゃ》の角《かど》を曲がり、グラウンドが見渡《みわた》せるところへきた。カキンッという、ボールを打つ音、それに続いて丸井くんが怒鳴《どな》るような声が聞こえてくる。守備の練習をしているようだ。

なにこれ？　野球部の練習って激《はげ》しいんだな。それがわたしの第一印象だった。

やっぱり怒鳴りながらノックしているのは、丸井くんだった。ノックって、こんなに近いところで受けるんだったっけ？　怖《こわ》くないのかな？

うわっ、ボールが顔に当たった！　痛《いた》そう。ケガをしたらどうするつもりなんだろう。

なんか険悪《けんあく》な雰囲気。これは、シゴキとかイジメなんじゃないだろうか。まさかとは思うけど、あの新聞記事のことが響《ひび》いているのかもしれない。あの記事マズかったかな。情報をもらした部員をこらしめるためにやっているのだとしたら……。

わたしはちょっと後悔《こうかい》する。「チームワークに不安」なんて書いておけば、いかにも新聞の記事っぽくなると思ったから、最後にちょこちょこっと書き加えただけなんだけどな。

本当は、誰にも取材なんてしていない。丸井くんの性格を思い浮かべて、それらしい記事を書いただけだ。「取材源は明かせない」なんて、丸井くんには言ったけど、そもそもそんな人はいないんだから、教えたくたって教えられるわけがない。

正直に言うと、わたしは野球のことをあまり知らない。この前の地区大会の決勝戦が、生まれて初めて観た野球の試合だった。

「野球って、なにが楽しいんですかね？　なんか、わたしみたいな文化部の人間には理解できない世界です」

「試合はおもしろかったけどね……」

この前観《み》た、青葉学院との決勝戦を思い出した。あの試合はすごかった。野球を知らないわたしが観ても、思わず泣いてしまったほどだ。

でも、今のこの練習はわからない。ギスギスしていて、見ていてなんだか怖《こわ》い。

——野球を知らない奴《やつ》が勝手なことを書くな。

丸井くんに言われた言葉だ。たしかにわたしは、野球をよく知らない。

——書かれる身にもなれ！

丸井くんからは、そうも言われた。

たしかに、記事を書いているとき、わたしは丸井くんの気持ちなんて考えもしなかった。

そんなことを気にしていたら、記事なんて書けないと思っていた。だって、丸井くんのために記事を書いているわけじゃないから。

でも、もっと野球のことを知らないといけないと思った。

あんな記事を書いた以上、それがわたしの責任なのかもしれない。

〈**丸井**〉

いよいよ秋の大会が始まった。

気合いがみなぎってくる。なにしろ俺たちは、夏の地区大会の準優勝校《じゅんゆうしょうこう》。なんとしても勝ち抜いて、別ブロックから勝ち上がってくる青葉学院にリベンジを果《は》たしたい。

ところが……。なんか空回《からまわ》りしている。

１回戦の福山《ふくやま》中学戦。４回を終わって０対２で俺たちは負けていた。

イガラシの調子が悪かったわけじゃない。打たれたヒットは４本。でもそれ以上に俺たちはエラーを連発してしまった。守備の連携《れんけい》も悪い。簡単《かんたん》に送りバントをさせすぎた。ランナーが一塁《るい》に出ると、ほとんど決まりごとのようにランナーを二塁に送られてしまう。そして、そのタイミングでエラーが出る。ヒットは１本しか打たれていないのに、点を与《あた》えてしまったのだ。

打撃《だげき》のほうも不調だった。散発《さんぱつ》でヒットは出るものの、後が続かない。そして墨谷は送りバントを失敗ばかりしていた。

「なにやってんだよっ！」

5回の表《おもて》。俺はベンチに戻《もど》ってきた佐々木をなじった。5番バッターの佐々木は、ヒットで出塁《しゅつるい》したイガラシを、送りバントで送るどころか、フライにしてダブルプレーにしてしまった。ノーアウトランナー一塁が、一瞬《いっしゅん》にしてツーアウトランナーなしになった。

「送りバントくらい、ちゃんとできねーのかよ！」

「悪い……」

「悪いですむかよ！　このまま負けたらどうすんだよ！」

「丸井、やめとけ。お前だって三振《さんしん》しただろうよ」

副キャプテンの加藤に言われた。

ぐっと言葉につまった。その通り。俺は、前の回で三振をしていた。ツーアウトながらもランナーが二塁にいたので、俺はなんとか1点を返そうと、ムリに打ちにいき、空振りをしてしまったのだ。フォアボールでもいいから出塁して、4番のイガラシにつながなくてはいけなかったのに。そうすればきっと違う展開になっていただろう。

「わかってるよ！」

怒鳴るように言って、ベンチの中を見回す。

誰も声を出そうとしない。

俺がチームの雰囲気《ふんいき》を悪くしてしまっているのはわかっている。

「おい、お前ら声を出せよ！」

1年生たちに大声で言った。

でも、1年たちから声が出ることはなかった。

「よーし、まだまだツーアウト。行くぞ！」

しかたがないので、俺が一人で声を張り上げることにした。

6番の小室《こむろ》が三振した。これでチェンジだ。

「よーし行くぞ！　もう絶対これ以上点をやるな！　絶対に三者凡退《さんしゃぼんたい》だ！」

グローブを持ち、俺はベンチを出た。

けれど、誰も返事をしてくれない。

完全に俺は空回《からまわ》りしていた。

結局、試合は負けてしまった。0対2。夏の大会で準優勝した俺たちが1回戦負けだ。

「どういうつもりだ！　お前ら、やる気あんのかよ！　まったく、エラーばっかりしやがって！　おい河野、お前の守備、なんなんだよあれ！」

試合後のミーティングで、俺の怒《いか》りは、また爆発《ばくはつ》した。

河野はサードのポジションで2度のエラーをしていた。一つは暴投《ぼうとう》。そしてもう一つはトンネル。股《また》の間をきれいにゴロがすり抜《ぬ》けていった。しかもそのトンネルは、そのまま失点に結びついてしまった。

「おいやめろよ、個人を責《せ》めてどうすんだよ？」

加藤が割《わ》って入《はい》った。

「責めてるんじゃねーよ。こんな負け方が納得《なっとく》できないんだよ。お前たちだってそうだろ？夏の大会で準優勝した俺たちが、こんなとこで負けたんだぞ。悔《くや》しくないのかよ？」

俺は全員を見渡《みわた》した。

ところが驚《おどろ》いたことに、誰も賛同《さんどう》してくれなかった。それどころか、みんなさめた目で俺のことを見ている。

「もっと冷静になりませんか」

イガラシが発言した。

「この試合で、俺たちは1点も取れてないんです。いくらエラーをなくして、0点に抑《おさ》えたとしても、点を取らなきゃ絶対に勝てませんから」

「そんなことはわかってるよ！　守備の話がすんだら、攻撃《こうげき》について言おうと思ってたんじゃねーか！」

「だから、いちいち怒鳴《どな》るなって。そんなんじゃミーティングにならないからさ」

「俺だって、好きで怒鳴ってるんじゃねーよ。そんなこと言うなら、加藤、お前がこの役割を引き受けてくれよ！　俺はやらねぇから！」

「キャプテンがふてくされてどうすんですか？」

イガラシがあきれたように言った。

「ふてくされてねーよ！　頭にきてんだよ！　まったく、1回戦負けじゃ、谷口さんにあわせる顔がねぇよ！」

「引退した先輩《せんぱい》たちのために野球をやってるわけじゃないですから。これからのことを考えて、もっと建設的にいきましょうよ」

「うるさい！」

大声を出してイガラシを黙《だま》らせた。

「もうミーティングはやめ！　とにかく全員、今日の試合を反省しとけ！」


〈イガラシ〉


そろそろ来るころだな。

俺は、グラウンドの隅《すみ》にあるベンチに座《すわ》って丸井さんを待っていた。野球部の部室に行くには、ここを通らなければならない。

「イガラシ、なにやってんだ!?」

丸井さんがやって来た。なんのわだかまりもない顔でニコニコとしている。丸井さんらしいなと思う。

土曜日の試合の後、ミーティングで丸井さんはブチぎれた。けれど、月曜の今は、もうすっかり上機嫌《じょうきげん》に戻っている。マイナスの感情を引きずらないのはいいことだと思う。もしかすると丸井さん自身、キレたことすら忘《わす》れているのかもしれない。でも、そういう単純さが、丸井さんの欠点でもあると俺は考えていた。丸井さんは忘れていたとしても、怒鳴《どな》られたほうは、そう簡単に忘れられるものではない。

「あの、練習の前に、ちょっと話があるんですけど」

「なんだよ?」

「今後のチームのことで……話ができればと思いまして」

「おお、そうか。俺もいろいろ考えて、いいアイデアがあるんだ。まあ部室に行こうぜ」

そう言ってグングンと丸井さんは歩いていく。

マズいな。俺が話したいことは、そんな明るい話題ではない。キャプテンのあり方やチームの運営など、また丸井さんがキレてしまうような話ばかりだ。

「いや……できれば、ここで話をしたいんですけど」

「なんだよ？　話なら部室でもいいだろ？　イガラシだけじゃなくて、みんなにも聞いてもらいたいことがあるんだ」

あくまで丸井さんは明るい。自分に問題があるとは、これっぽっちも考えていないようだ。


「もうキャプテンをやめてもらおうぜ」

丸井さんが部室のドアノブに手をかけたとき、中からそんな声が聞こえてきた。

「はっきり言って失格《しっかく》だろ。キャプテンがあんな感情的じゃ、ついてけないって」

「丸井をキャプテンに選んだのって、俺たちじゃなくて、谷口さんだろ。谷口さん、人を見る目がないんだよ」

「そうだな。キャプテンを降《お》りてもらうしかないよな」

「普段《ふだん》の練習だってメチャクチャだし。そりゃあ試合に勝てないって」

誰の声だ？

加藤さんや滝《たき》さんだろうか？

丸井さんの顔を見ると、頬《ほお》が引きつっているようだった。

「そういうことか……」

丸井さんの声が震《ふる》えていた。谷口さんの悪口を言われて、丸井さんが黙《だま》っているわけがない。

これは大爆発するぞ。そう思ったとき、丸井さんは俺の顔を見て言った。

「そっか、このことをあらかじめ俺に教えてくれようとしたのか。悪かったな、イガラシ」

いつもの丸井さんとは違う。

それに俺は、丸井さんにキャプテンを降りてもらうなんて聞いていない。

丸井さんは、静かにドアを開け、部室に入っていった。


〈丸井〉


みんなが、俺を見て驚《おどろ》いていた。

「丸井……あのさぁ……」

加藤が、少し困《こま》ったような表情で話し出した。

「あぁいい。聞こえてたから。俺に、キャプテンを降りてもらいたいんだろ？　たしかに、感情的すぎて、俺、キャプテンに向いてないもんな。俺、降りるわ。そのほうが野球部のためにいいと思うし」

なるべく明るい口調《くちょう》で言った。でも、声が震《ふる》えているのがわかる。落ち着け、と自分に言い聞かせた。

「で、次のキャプテンは誰がやるんだ？　加藤か？」

「いや、それはまだ……」

「あぁ、俺がここにいたら、決めにくいか。今日は俺、帰ることにするわ。でも、明日からまた練習に出るから」

みんなが、複雑な表情をしている。

「俺に練習に出られるのはイヤか？　野球部はやめなくていいよな？　だって、野球部は絶対にやめないって、谷口さんと約束したから」

そう加藤に聞いた。

「そ、そりゃあそうだよ！　お前に野球部やめられたら困るって！」

「そうか、ありがとう。誰が次のキャプテンになるにしろ、俺、全力でサポートするからさ。安心しろよ」

とにかく、明るくしゃべらなければ——。俺はそれだけを心がけた。

「じゃあ、帰るな」

部室を出ようとした。が、俺のほうにも、みんなに話すべきアイデアがあったのを思い出した。

「ゴメン。最後に一つだけいいか？」

俺は、みんなを振り返った。

「俺、練習試合を組んじゃったんだ。ほら、大会で1回戦負けしちゃって、実戦経験が不足してると思ったから。悪い、勝手なことしちゃって。練習試合は、今週の土曜。相手は金成《きんせい》中。引き受けてくれた相手に悪いから、この試合だけはやってくれないか？」

みんなはなにも言わない。ただお互《たが》いの顔を見ているだけだ。

ヤバい、泣《な》きそうだ。なんで誰もなんにも言ってくれないんだ？

「じゃあ頼《たの》むな。よろしく!」

なんとか最後まで笑顔《えがお》をキープできた。でも、後《うし》ろ手《で》で部室のドアを閉《し》め、一人になったとたんに、ボロボロと涙がこぼれてきた。

グラウンドのベンチに小野寺が座っているのが見えた。最近あいつは、よく野球部の練習を見学している。

この泣き顔は見られたくない。少し遠回りになるけど、小野寺に見られないよう、俺はグラウンドの反対側に向かって歩き出した。


〈イガラシ〉


どうするべきだろう？　俺は、どう動くべきだろうか？

丸井さんを追いかけるべきか？　それとも、ここに残って、部のみんなの気持ちを確認すべきか？

「なあ、イガラシ。お前はどう思う？」

俺が考えている間に、加藤さんのほうから声をかけてきた。

「どう思うって、どういうことですか？　キャプテンを降りろって、みなさんが言ったんじゃないですか？　今さら『どう思う？』って言われても、もう決まったことなんでしょ？」

「いや、決まったっていうか、そういうのもありだろって話し合ってただけなんだ」

「でも、もう丸井さんは、キャプテンをやめた気でいますよ。どうするんですか？」

「どうするって言われてもなぁ……」

「もし、丸井さんがやめるなら、新しいキャプテンを決めなくちゃいけませんよね。加藤さんは、その覚悟《かくご》はあるんですか？」

誰も返事をしない。みんながチラチラとお互いの顔を見ているだけだ。

なんだ、これ？　なんで誰もリーダーシップを発揮《はっき》しないんだ？

「俺がキャプテンってのもな……。俺は、キャプテンてガラじゃないと思う」

加藤さんが絞《しぼ》るように声を出した。あまりにも消極的なその発言に、俺はガッカリしてしまった。

「じゃあ、どんな人がキャプテンのガラなんですか？」

「そりゃあ具体的な誰かっていうより、チームのことを一番に考える奴《やつ》がキャプテンになるべきじゃないのか」

ダメだ。加藤さんは野球はそこそこうまいけど、人の上に立って引っ張るようなタイプじゃない。こんな事態《じたい》になっているのに、なにをのんびりしたことを言っているんだろう。

「チームのことを一番考えてる奴だったら、やっぱり丸井じゃねーのか？」

今まで黙《だま》っていた島田《しまだ》さんが発言した。

俺はちょっと驚《おどろ》いてしまった。無口《むくち》で目立たないタイプの島田さんは、今までミーティングで意見を言ったことがあまりなかったからだ。

「現《げん》に、チームのために練習試合を組んできたろ？　そういうのを自分だけで勝手に決めちゃうとこが、問題っていえば問題なんだけどさ」

俺は、部室に入る前の、丸井さんの楽しそうな表情を思い出した。

あれは、練習試合にワクワクしていたんだ。秋の大会では負けてしまったけど、すぐに前を向いて、新しくスタートを切ろうと丸井さんは考えていたんだ。その同じタイミングで、丸井さんは仲間たちからキャプテンを降ろされてしまったのだから、皮肉《ひにく》な話だ。

「それに、丸井って、毎朝、一人でグラウンドの整備をしてるだろ。俺たちが来る前にさ」

島田さんが再《ふたた》び話し始めた。

「そうなの？　でも、それってムダじゃん。だって、体育の授業があれば、結局、グラウンドは荒《あ》れるんだから」

加藤さんが少し驚いた顔で言った。

それは俺も知らなかった。そういえば、いつもグラウンドがきれいに整備されていたような気もする。

「ムダだけど、丸井はやってるんだよ。それに小石を拾《ひろ》ったりするのは、ムダじゃないだろ？丸井、かなり早い時間に学校に来てんぞ。いつだったたか、俺が6時ぐらいに学校に着いたら、もう丸井が一人でユニフォームを着てグラウンドにいたのを見たことがあるよ」

そうだったのか。ちょっと意外な気がした。丸井さんが、一人でせっせとグラウンドを整備するようなイメージがなかったからだ。でも、グラウンドや道具を大切にする気持ちはとても素晴《すば》らしいと思う。

もう結論が出たと思った。

「やっぱりチームのことを一番に考えているのは、丸井さんじゃないですか？」

「うん、俺はそう思う」

島田さんが賛同《さんどう》してくれた。

「そうだな、丸井が一番野球部のことを考えてるのかもしれないな……」

加藤さんがつぶやいた。

「じゃあ、『丸井さんのキャプテン続行《ぞっこう》』でいいですか？　俺、すぐにでも丸井さんを追いかけて、話してきますけど」

そう言って、俺は立ちあがった。

「イガラシ、悪いけど頼む」

加藤さんの声が聞こえると同時に、俺は部室を飛び出していった。

〈丸井〉

家に帰りたくないから、ぜんぜん違う方向に向かって俺は歩いた。気がついたら、俺は谷口さんの家があるあたりを歩いていた。ひょっとすると無意識のうちに谷口さんを懐《なつ》かしく思っていたのかもしれない。

「あれ？　丸井、どうしたの？」

背後《はいご》から声をかけられた。ドキリとした。谷口さんの声だ。俺が振り返ると、制服姿《せいふくすがた》の谷口さんがニコニコと笑っていた。

「いや……あの……ちょっと、なんとなく……」

「そうか」

俺はしどろもどろになった。でも、谷口さんは、笑顔でうなずいてくれた。

「そうだ、丸井。少しキャッチボールでもやらない？」

並《なら》んで歩きながら谷口さんが言った。もう谷口さんの家が、すぐそこに見えてきていた。

「ハ、ハイ！　お願《ねが》いします」

「待ってて。僕もグローブを持ってくるから」

家の前までくると、谷口さんはそう言って、門の中に入っていった。

俺は、かばんからグローブを取り出しながら考える。

谷口さんは、なにも言わなかった。

キャプテンである俺が、野球部が練習しているはずの時間に、こんなところにいるのは絶対におかしい。それくらいわかってるはずなのに、谷口さんはなにも言わない。

谷口さんは優《やさ》しい人だ。

グローブとボールを持った谷口さんが戻《もど》ってきた。


谷口さんの家の近所の空《あ》き地《ち》で、10メートルほど離《はな》れてキャッチボールを始めた。

「久しぶりだな」

谷口さんが、フワリとボールを投げた。その投げ方が、どこかぎこちなかった。

「谷口さん、最近、野球してないんですか?」

ボールを受け、返しながら俺も質問する。谷口さんは、引退してからは、野球部に顔を出すことはなかった。

「うん。実はさ、あの夏の大会で、右手の指をケガしてたみたいなんだ」

「えっ！」

思わず大声を出してしまった。

「ケガ？　夏の大会って、いつの試合の？」

「ほら、決勝戦でファールフライを追って、青葉のベンチに落ちただろ。あの時にぶつけて、骨にヒビが入ったみたいなんだ」

そうだったのか。でも、あのあとも谷口さんは、ピッチャーとしてマウンドに上がったはずだ。つまり、指の骨にヒビが入った状態で青葉と戦っていたということか。

「もう大丈夫なんですか？」

「うん。まぁだいたい」

谷口さんはそう言って笑った。

「二学期になっても痛《いた》いから、念のために医者に行ってみたんだ。そしたらそう診断《しんだん》されて。でも、医者に行ったころには、もうだいぶよくなってはいたらしい」

ニコニコと笑いながら谷口さんはボールを投げてくる。

でも、そのボールは俺に届《とど》かず、手前でワンバウンドした。ボールに力がなさすぎる。えっ？

全然、大丈夫じゃないだろ、これ。

「あの……ムリしないほうがいいんじゃないですか？」

「大丈夫だって。それに、自分でも、どれくらいできるのか、確かめておきたかったし。ちょうどいい機会だから」

あくまで谷口さんは、ニコニコとしている。

谷口さんが大丈夫というのなら、きっとがんばってなんとかなるんだろう。それにしてもすごい人だ。ケガをしていたのに、あの試合を戦《たたか》い抜《ぬ》いたなんて。

それに引きかえ俺は……。

谷口さんからのボールを受け、投げる。

不思議だ。ただキャッチボールをしているだけなのに、なんだか谷口さんにはげまされているような気がしてきた。

『ガンバレ』

『あきらめちゃダメだ』

一球ごとに、言葉が伝わってくる。もちろん、俺が勝手にそう思っているだけなんだけれど……。

〈**イガラシ**〉

やっぱりここか。

俺は、そっとキャッチボールをする谷口さんと丸井さんの姿《すがた》をながめた。

あの後、部室を出て、丸井さんを追いかけた。いったんは丸井さんの家のある方向に向かって走ったが、どこにもその姿はなかった。

谷口さんに会いに行ったのかもしれない。

ふと、そう思った。丸井さんは谷口さんを尊敬している。その可能性はあると思った。

そして、谷口さんの家の近所でキャッチボールをする二人を見つけた。

特に話をしている様子はない。ただボールを投げ合っているだけだ。気になるといえば、谷口さんの投げる球が、あまりにも弱々しすぎるということくらいだ。

と、そのとき谷口さんと目が合ってしまった。

「あれ？　イガラシじゃないか。どうしたんだ？　イガラシまで」

投げる手を休めて、谷口さんが言った。

丸井さんも振り返り、俺を見て驚《おどろ》いている。

しょうがない。俺は谷口さんに言った。

「いや、ちょっとキャプテンに用がありまして」

あえて「キャプテン」という言葉を使った。

「みんなが待ってるから、そろそろキャプテンに練習に戻《もど》ってもらえないかと思って」

丸井さんがとまどった表情をしている。

谷口さんは、どこまで事情を知ってるんだろう？　丸井さんは、今回の件を谷口さんに相談したのだろうか？　もし話していないのなら、あまり谷口さんに心配をかけたくはない。

「そっか。じゃあ、丸井は練習に戻《もど》りなよ。みんなが待ってるんだろ？」

「いや……あの……」

　丸井さんが困ったような顔で俺を見る。

「キャプテン、早くしてください。みんなが待ってるんですから」

　これだけ言えば通じるだろう。丸井さんの顔をじっと見る。

　丸井さんも、真剣《しんけん》な表情で俺を見ている。

「イガラシ、それ冗談《じょうだん》とかじゃないよな？」

「もちろんです、キャプテン。さぁ、練習に戻りましょう」

「わかった」

　俺にそう言うと、丸井さんは谷口さんに向き直った。

「どうもありがとうございました。俺、練習に戻ります」

「うん。わかった。僕も久《ひさ》しぶりにキャッチボールできて楽しかったよ。ありがとう」

「いえ、とんでもありません！」

　どうやら谷口さんは事情を知らないようだ。でも、丸井さんや俺が、こんな時間にここにいるのだから、何かあったと想像はつくだろう。けれど、谷口さんは何も言わない。谷口さんらしい。

「じゃあ谷口さん、失礼します。よし、イガラシ行くぞ！」

「ハイ！」

谷口さんにあいさつして、俺たちは歩き出した。

すると、急に丸井さんが走り出したので、俺はあわててその後を追った。

並んで走り、丸井さんの横顔を見る。笑っているようにも見えたし、泣いているようにも見えた。

「なぁ、イガラシ」

走りながら丸井さんが言った。

「なんですか？」

「今まで悪かったな」

「いいんです。気にしないでくださいよ、キャプテン」

「いいよ、そんなにキャプテン、キャプテンって言わなくてもさ」

「でも、丸井さんはキャプテンですから。あらためて、よろしくお願いします」

「いや、それはこっちのセリフだ。これからも、俺が間違《まちが》っていると思ったら、遠慮《えんりょ》なく言ってくれ。俺、谷口さんとキャッチボールをしてわかった。俺は谷口さんみたいなキャプテンにはなれない」

そう言って丸井さんは笑った。

「ずっと谷口さんみたいになりたいと思ってた。だから、谷口さんの真似《まね》をしようと思った。でも、谷口さんみたいになんか、なれっこないや。真似しようったってムリだ。だから、俺は俺らしいやり方でいく。イガラシ、お前、俺をサポートしてくれないか？」

丸井さんの顔を見る。大まじめな顔をしていた。

「つまらん意地《いじ》を張《は》るのはヤメだ。同じ野球部員としては悔《くや》しい部分もあるけど、お前の野球センスとか考え方とかはすごいよ。だから、これからはドンドン、俺にアドバイスをしてくれ」

「わかりました。じゃあ早速《さっそく》、今週末の練習試合のことですけど」

「おう、なんだ？」

「勝つために、いろんな人を使ってみましょうよ。俺たちの本番は来年の夏です。それに備えて長期戦でやっていきましょう」

「そうだな。よし、それでいくか！」

丸井さんが、さらにスピードを上げて走る。

負けるわけにはいかない。俺も気合いを入れて、丸井さんの後を追った。

〈**小野寺舞**〉

丸井くんは、どこに行ったんだろう？

丸井くんが不在で、まるで活気もない野球部の練習を見ながら、わたしは心配でたまらなかった。

１年生のイガラシくんの姿《すがた》も見えない。

何かあったのだろうか？　まさかとは思うけど、わたしの校内新聞の記事が原因《げんいん》だったとしたら、どうすればいいだろう……。

なんとかしなきゃ。いてもたってもいられない気分だった。

「よぉ、小野寺！」

丸井くんの明るい声が聞こえた。

見ると、制服のまま、びっしょりと汗《あせ》をかいて、ニコニコと笑っている丸井くんの姿があった。後ろには、同じように汗をびっしょりとかいたイガラシくんがいる。

「あの……丸井くん、大丈夫？」

「なにが？」

ケロリとした顔で丸井くんが答える。いつものように元気で、ちょっとうるさいくらいの丸井くんだった。

「いや、なんでもない……」

「そっか！　俺、ちょっと急いでるから、じゃあな！」

そう言って丸井くんは、イガラシくんと一緒に野球部の部室へと走っていった。

とりあえずよかった。わたしはホッとする。

さっき、丸井くんが泣いてたように見えたのは、勘違《かんちが》いなんかじゃない。間違いなく野球部でなにかあったはずだ。でも、今の丸井くんは、すっかりいつもの様子に戻《もど》っていた。

がぜん興味《きょうみ》がわいてくる。何があったのだろう。気になってしかたがない。

それは新聞部員としてではない、わたし自身の興味だ。どうしてわたしは、こんなにも丸井くんや野球部のことが気になるのだろう？　自分でもわからない。

だったら、理由がわかるまで追いかければいい。納得《なっとく》できるまで、わたしは丸井くんや野球部を追いかけようと決めた。

2nd

イニング

満開《まんかい》の桜《さくら》の中、俺は3年生になった。

いよいよ最後の年だ。野球部のキャプテンとして、全力でチームを引っ張っていこうと思う。

「おい丸井、やっぱ1年生ってかわいいもんだな」

加藤が声をかけてきた。俺たちは、新入部員の1年生たちとグラウンドで向かい合っている。

去年よりも、だいぶ人数が多い。前回の夏の大会で、決勝まで勝ち進み、青葉学院と戦ったことが影響《えいきょう》しているのだろう。

整列した1年生を端《はし》から見ていく。たしかにみんなかわいらしい。と思ったら、一人だけ妙《みょう》に図体《ずうたい》の大きい奴《やつ》が混《ま》じっていた。背が高いだけでなく、横にもだいぶ大きい。子どもの中に、一人だけ大人《おとな》が紛《まぎ》れ込《こ》んでいるみたいだった。

「なんかデカいのがいるな」

「あれ、オッサンじゃね?」

「おい、笑わせるなよ!」

俺たちはクスクスと笑い合った。

やたらとデカいそいつは、少し太《ふと》り気味《ぎみ》なせいか、それほど野球がうまそうには見えなかった。あまり期待はできないかもしれない。

順番に1年生たちに自己紹介《じこしょうかい》をさせた。そして、そのデカい奴の順番がきた。

「ボク、近藤《こんどう》いいます。よろしくお願いします」

近藤いいます？

なんかヘンな話し方だな。しかも、アクセントも、ちょっと変わってる。

「それ関西弁《かんさいべん》か？」

「関西弁というか、大阪弁です」

近藤はそう答えてニカッと笑った。笑うと意外に子どもっぽい顔になった。

「……なるほど。つまり大阪に住んでいたわけか」

「この春に大阪から越《こ》してきました。キャプテンさん、どうぞ、よろしくお願いします」

なんか調子狂《ちょうしくる》うな。

「おい、その『キャプテンさん』ていうのは、やめてくれ。キャプテンでいいよ」

「ハイ！」

元気よく近藤は答えて、またニカッと笑った。

やれやれ。初日《しょにち》だというのに、どこか緊張感《きんちょうかん》が欠《か》けている。近藤の、変な言葉のリズムが緊張感を消してしまったようだ。


「丸井さん、１年生たちのテストをやってみませんか？」

あいさつを終え、練習を始めると、イガラシがそう声をかけてきた。

「使える奴がいたら、さっそく春の大会で使ってみましょうよ」

「でもなぁ、１年生は９月まで試合に出さないっていうのは、墨谷二中の暗黙《あんもく》のルールだからな」

「でも前キャプテンの谷口さんは、それを破《やぶ》って俺を試合で使いましたよ」

その通りだった。谷口さんが、そのルールを去年《きょねん》破った。そして、イガラシがセカンドのレギュラーに抜擢《ばってき》される代わりに、ベンチに回されたのが俺だった。

「丸井さんらしいやり方は大事ですけど、せっかく谷口さんが作り上げたいい部分は、ムリに変えなくていいんじゃないですか？」

イガラシがまじめな顔でそう言った。

うん、たしかにそうだ。俺は谷口さんが作り上げた、新しい墨谷二中野球部を引《ひ》き継《つ》いだんだから。

「わかった。1年の実力を試してみよう」

まずはバッティングだ。

「よし、イガラシ。お前、マウンドに上がってくれ!」


〈イガラシ〉


1年生たちが、ずらりとバッターボックスの後ろに並《なら》んでいる。これから俺がバッティングピッチャーとして、あいつらの相手をすることになっていた。自分で投げたほうが、打者の力を見極《みきわ》めやすい。

先頭にいるのは近藤だった。いい根性《こんじょう》だ。去年の俺も、先頭に並んで守備やバッティングを、真っ先に谷口さんたちに見てもらいたいと思っていたな。

「イガラシ、ストレートだけ投げてくれ。お前はバッティングピッチャーなんだから、そこんとこを忘《わす》れるな」

丸井さんが声をかけてきた。丸井さんは守備にはつかず、バッターボックスの横のあたりに立って、1年の打撃のほどを確認するつもりのようだ。

近藤が右打席に立ってバットを構《かま》えた。

フォームはゆったりとしていて、いい構えだ。体も大きいし、なんか打ちそうな迫力《はくりょく》がある。

当たれば飛ぶだろう。

俺は、打ちごろのど真ん中にストレートを投げ込んでみた。

近藤がバットを振《ふ》った。

キーン。

ボールは、軽々と外野を越《こ》え、サッカー部が練習しているあたりまで飛んでいった。完全にホームラン性の当たりだ。

すごいパワーだ。たいしたもんだ。

2球目は、少しだけ速い球を投げてみることにした。

カーン。またも大きな当たりだ。

今度はサッカー部の練習場所すら越えて、グラウンドの端《はし》まで飛んでいった。場外ホームランといったところか。

どんなもんだい、という顔で、近藤が俺のことを見ている。

やれやれ。たしかにパワーはすごい。でも、これくらいで得意になられても困《こま》る。

「なにやってんだよ！　打たせすぎだって！」

丸井さんが飛んできた。

「あんまり1年を調子づかせるなよ」

いや、言ってることがぜんぜん逆《ぎゃく》ですから。俺は笑ってしまった。

「だって丸井さん、バッティングピッチャーだってことを忘れるなって言ったじゃないですか。だから、打ちやすいストレートを真ん中に投げたんですよ」

「じゃあ、もう打たせるな！　とにかく、墨谷のレベルを教えてやれ！」

まったく。以前と比《くら》べればだいぶマシになったけど、丸井さんの短気な性格は変わらないな。

でもたしかに、あんまり1年を甘《あま》やかさないほうがいいのかもしれない。

再び全力のストレートをど真ん中に投げ込んだ。

カキーン！

またしても打たれた。ホームラン性の当たりだった。

「どうですか、キャプテンさん。もうボクの4番で、決まりと違いますか？」

近藤が得意そうな顔で、丸井さんに話している。

4番？　さすがの俺もカチンときた。4番は俺の打順だ。谷口さんが引退してからはずっと、俺が4番を任《まか》されてきた。

次はカーブを投げた。

ブン！

空振《からぶ》りだった。

どうやら変化球は苦手《にがて》なようだ。ボールに目がぜんぜんついていってない。

よし、今度はスライダーだ。

ブン！

今度も近藤は空振りをした。それどころか、勢《いきお》いあまって尻《しり》もちをついている。

「あのスイマセン、さっき、キャプテンさん、『ストレートだけ』って言ってませんでした？」

「バカ野郎《やろう》！　そんなわけにいくか！」

俺より先に、丸井さんが大声で言った。

「試合じゃ、相手はいくらでも変化球を投げてくるんだ。相手のピッチャーに、『ストレートだけ投げてください』って、言うのか？」

「そんな〜。これ、試合じゃないでしょ？」

その後、俺は変化球を連発して、近藤をひたすら空振りさせてやった。

近藤が情《なさ》けない顔をしている。ちょっと笑えてくる。

３球続けてホームラン性の当たりを打たれたときは、さすがにちょっと驚《おどろ》いたけれど、やっぱりまだ１年生だ。

残念ながら、他の１年生たちはイマイチだった。

もちろんダメという意味じゃない。鍛《きた》えれば、いずれはレギュラーレベルまで成長するだろう。でも、この春や夏の大会には間に合わない。俺はこの夏の大会に照準《しょうじゅん》を合わせている。可能性があるのは、この中では、近藤だけかもしれない。

〈丸井〉


「キャプテンさん。ボクはピッチャーですから、ノックとか受けんでもいいですよね？」

近藤が、俺に向かって言った。

1年の打撃を見たあとは、守備を見るつもりでいた。ところが、近藤が守備はやりたくないと勝手なことを言い出したのだ。

「なんでピッチャーだと、守備をやらなくていいんだよ！　いいからさっさ並《なら》べ！」

「でも、ボク、バッターに打たせないんで、守備の必要ないと思うんですよ」

意味がわからない。腹が立ってきた。

「そんなもん認《みと》められるか！　ノックを受けないんだったら、野球部に入らなくてもいい！」

そう怒鳴《どな》りつけた。

「は〜、かなわんな」

近藤はしぶしぶといった感じでノックを受ける列に並んだ。打撃のときと違って、最後尾《さいこうび》にいる。

ノックが始まった。

ノッカーは加藤に任せた。1年たちが懸命《けんめい》にボールに食らいついていく。みんな悪くない。でも、2年や3年を脅《おびや》かすほどの選手はいないようだ。

そして、最後に近藤の順番がきた。

「お手やわらかに頼《たの》みます」

「おい丸井、いきなりバシッとやっていいか?」

加藤が聞いてきた。どうやら加藤も、近藤の態度にイラついているようだ。

「おう、ガンガンいってやれ」

もちろんそう答えた。

加藤が強い球を打った。

え!? 目を疑《うたが》った。近藤がボールから逃《に》げたのだ。頭を抱《かか》え、はっきりボールを怖《こわ》がっている様子だった。

「なにやってんだよ！　逃げるな！」

「だって強すぎますって！」

「どこが？　こんなの普通《ふつう》の打球だろうよ！」

「けど、ボク、内野とかやりませんから。こんなゴロ捕《と》る練習とかいりませんよ。ボクはピッチャーなんです！」

「ピッチャーだって野手《やしゅ》なんだよ！」

「いや、ボク、誰にも打たれませんから！」

「そんなわけあるか！」

もう頭にきた。ここまでダメな奴は、野球部にはいらない。

「近藤、お前クビ。野球部をやめろ！」

近藤がきょとんとした顔をしている。

「なんでです？」

「チームの和を乱《みだ》すからだ。お前みたいのがいると、チームワークが乱れる。ウチの野球部は、チームワークを大切にするんだ。それを乱すような奴はいらねーんだよ！」

「は～、かなわんな。キャプテンさんは。ボクをやめさせたら、絶対に後悔《こうかい》しますよ」

「するか！　さっさと帰れ！」

近藤の顔色がすっと変わった。どうやらふてくされたようだ。

「わかりました、やめさせてもらいますわ」

そう言いながら、近藤は足元のボールを拾《ひろ》い上《あ》げた。

「ボクの球もよう打たれへんような人に、クビにされるなんて、たまらんわ」

近藤がネットに向ってボールを投げた。

その球がすさまじかった。ボールはうなりをあげてネットにぶつかった。まるで、そのままネットに突《つ》き刺《さ》さるのではないかと思えるほどの剛速球《ごうそっきゅう》だった。

近藤が勝《か》ち誇《ほこ》ったような顔で俺を見ている。どうです、打てないでしょう？　と言っているようだった。けど、1年なんかにナメられるわけにはいかない。

「たいした球じゃないな。そんなんで中学野球で通用するか！」

「勝負しましょか？」

「おお、やってやろうじゃないか」

「じゃあ、もしボクがキャプテンさんを抑《おさ》えたら、ピッチャーとして野球部に残してもらいますから。そんで、もしボクが抑えられなかったら、キャプテンさんの言う通り野球部をやめます。それでどうです？」

「あぁ、かまわない！」

なんか乗せられたような気がする。でも、1年を相手に引くことはできなかった。

〈**近藤**〉

ふぅー、あぶな。

危《あや》うく野球部をクビになるところだった。なんとかキャプテンさんを勝負に引《ひ》っ張《ぱ》り込《こ》むことができた。これでボクの実力を見せつけたら、野球部やめろとか言わんやろ。

「よし、近藤、来い！」

キャプテンさんが、バッターボックスから怒鳴《どな》ってる。

気合い入ってるな。でも、ちっこいし、ボクの球は打てへんで。

ほい!

よし、空振り。どんなもんよ。

めっちゃ悔《くや》しそうな顔してるな。いい気分や。

ところが2球目、キャプテンさんはファールとはいえ、バットに当ててきた。やっぱりキャプテンだけのことはある。

気合いを入れて3球目。

キン!

うわっ! なんや! しまった。よけてしもた。

ピッチャー返し。よけてしもたから、センター前のヒットになった。

「どうだ近藤、ヒットだぞ!」

「1回打たれただけですって! まだ点にはなってませんて。まだまだですから」

やばい、やばい。

ボク、野球部やめたない。

ボク、野球、めっちゃ好きやもん。

今度は絶対に抑《おさ》えて、さっきのは偶然《ぐうぜん》やったってことにしないと。

ところが、また打たれた！

なんで？　なんで、ボクの球が打てるん？　完全にヒット性の当たりだ。

「わかったか！　これが中学野球だ。お前なんか、通用しないんだよ！」

キャプテンさんが怒《おこ》ったように言った。

いやいや待って。ボク、野球部やめたくないですから！

「キャプテンさんは3年生だし、ここで一番うまいから、キャプテンなんでしょ？　そんなんズルいわぁ。他《ほか》の人たちには打たれませんから！」

なんとか粘《ねば》って他の人と勝負をしたい。今度こそバッチリ抑えて、うまいこと野球部に残してもらわな。

バッターボックスに入ったのは、さっきピッチャーをやってた人だった。2年生のイガラシさんいう人や。キャプテンさんより、さらに小さいし、この人なら楽勝やろ。

カキーン！

また打たれた。完全な二塁打コースだ。

いや、絶対に今の、まぐれですって。今度こそ絶対に打たせません！

ボクは、気合いを入れて投げ続け、そのすべてを打たれてしまった。

なんなんや、これ？　なんでボクの球が通じへんの？

「わかったか！　お前なんかいらねーんだよ！　さっさと帰れ！」

キャプテンさんは完全に本気だ。どうしたらいい？

「い……いや、でもですね……」

「なんだ、お前が言い出した勝負だろ？　お前みたいな生意気《なまいき》でチームワークを乱す奴は、ウチには必要ない。さっさと帰れ！」

あかん。完全にキレてる。どうしよ。ボク、そんなに生意気やったっけ？　誰か間に入ってくれる人はおらんのかな。

「早く帰れ！　野球部にお前なんかはいらないんだ！」

ダメや。ボクは歩き出した。取り返しのつかないことをしてしもた。

「キャプテンさん、今日のところは、これくらいで勘弁《かんべん》してあげますわ！」

そんな冗談《じょうだん》を言ってみたけれど、誰も乗ってこなかった。あかん。こっちの人らのノリがボクにはよくわからん。


〈丸井〉


一年生の実力をみるテストは終わった。結果、即戦力《そくせんりょく》になりそうな奴《やつ》はいなかった。

「よーし、いつもの練習を始めるぞ！」

大きな声で、みんなに声をかけた。

トボトボと部室に戻っていく近藤の後姿《うしろすがた》が見える。

「丸井さん！　近藤を本当にやめさせるんですか！」

イガラシが詰《つ》め寄《よ》ってきた。

「しょうがねーだろ。あんな性格の奴がいたら、チームがダメになる」

「性格なら直せます！　重視すべきは、才能でしょう‼」

「ダメなものはダメだ！　それにイガラシだって、あいつの球を平気で打ってたろうよ。あいつの球を打てたら、やめてもらうって約束だったのに」

「俺は、『お前の実力じゃ、まだまだだ』ってことをわからせたかったんです。まさか、丸井さんがホントにやめさせるとは思ってなかったですから」

「今さらなに言ってんだ！　それに、俺はああいう奴はキライなんだよ！」

「キャプテンが、好《す》き嫌《きら》いで判断してどうすんですか！」

イガラシが珍《めずら》しく感情的になった。ほとんどケンカ腰《ごし》の言い方だった。

「嫌いな人間を切り捨てるのがキャプテンのやることですか！　リーダーとして、みんなを引っ張るって、そういうことじゃないでしょう？　チームのことを考えてください！　多少、性格に問題があったって、あいつは戦力になります」

「いや、そうじゃないだろ。野球がうまければ、性格はどうでもいいってわけにはいかない。何度も言うけど、墨谷はチームワークが武器《ぶき》なんだ」

「じゃあ、俺が近藤の面倒《めんどう》をみますよ。それで、どうですか？　野球だけじゃなく礼儀《れいぎ》とかも、あいつに教えますから」

たいした熱意だ。イガラシは、そこまで近藤を買っているということか。

「お前が責任をもって、近藤の面倒《めんどう》をみるんだな？」

「ハイ」

よし、近藤はイガラシに任せてみよう。俺は、近藤を追いかけていった。


近藤は部室に入るところだった。

「おい、近藤！」

振り返った近藤の顔が、ものすごくしょんぼりしている。あんなに強気だったけれど、本当は野球部をやめたくなかったのだろう。

「お前、野球部をやめなくていいぞ。っていうか、やめるなよ」

「……ホンマですか？」

「ああ。ただし、ちゃんと先輩《せんぱい》たちの言うことを聞いて、素直《すなお》に練習するなら、だ」

「……はい」

「さっきのことでわかったろ？　中学野球は甘《あま》くないんだ。仮《かり》にお前をピッチャーとして起用しても、あの守備じゃどうにもならないから」

「はい……。それにしてもキャプテンさんもイガラシさんもすごいですね。ボク、あんなに打たれたの初めてです」

やっぱり俺は単純だ。少しほめられると、たちまち嬉《うれ》しくなってしまう。

「まあ、俺たちは全国優勝の青葉学院と、いい勝負をするほどだからな。墨谷二中ってのは、それだけのチームなんだよ」

「……はい」

「お前も素質《そしつ》はあるんだから、一生懸命《いっしょうけんめい》練習してくれ」

そう言って俺は近藤の顔を見上げた。それにしても、こいつデカいな。

「なあ近藤、お前、身長いくつ？」

「１８０はたぶんないと思います」

１８０ないくらい！　中一でそんなにあるのか！

「体重は？」

「さあ？　85キロくらいちゃいますか」

そりゃあすごい。たしかにこのパワーを使わないのはもったいない。

「まぁ、あれだ。がんばってやれば、1年生だってレギュラーになれる。お前には期待してるから真面目《まじめ》に練習しろよ」

「……はい、よろしくお願いします」

近藤の声は最後まで小さかった。大きな体で、ここまでしょんぼりされると、さすがになんだか同情してしまう。これで素直《すなお》になってくれるのならかわいいもんだ。これならイガラシに任せなくても、俺が指導してもいいかもしれないな。そんなことを考えながら、「がんばれよ」と近藤の背中をポンと叩《たた》いた。

前言撤回《ぜんげんてっかい》。やっぱり近藤は近藤だった。

最初はションボリしていたものの、練習を始めたら、すぐに近藤は元に戻《もど》ってしまった。ノックを受けても、やる気があるんだかないんだか。どんなにイガラシが厳《きび》しく言っても、近藤はのらりくらりとしていた。

「イガラシ、お前はたいした奴《やつ》だよ」

練習が終わって、俺はイガラシと一緒に帰ることにした。

「よく近藤に怒《おこ》らないでいられるよな」

「近藤が戦力になるからですよ」

イガラシがケロリとした顔で答えた。

「あいつに可能性がなかったら、相手にしませんし、野球部をやめたとしても、俺は気にしなかったと思いますよ」

「えっ⁉」

「大前提《だいぜんてい》として、野球の素質《そしつ》があることが大事なんです。やる気があったって、才能《さいのう》がなかったらダメです。その点、近藤には素質と恵《めぐ》まれた体格がありますから」

なんかずいぶんシビアなことを言うな。

「でもさ、ヘタでも野球が好きなら、それはそれでいいんじゃないか」

「もちろんです。ヘタでも野球を続けたいなら、続ければいい。ヘタな奴が野球部をやめるって言い出しても、俺は止《と》めないという意味です。野球の素質があることが第一なんですよ。性格が悪かったり、野球が嫌《きら》いだったとしても、素質がある奴のほうが大切だということです」

「いや、それは違うんじゃないか。素質があれば、野球が嫌いでも、ってことはないだろ?」

ちょっと強い口調で、俺は言った。少し熱くなってしまった。

「いや、でも近藤は野球が好きですよ」

さすがに言い過ぎたと思ったのか、イガラシは、フォローするような言い方をした。

「ピッチングとバッティングの練習は、ホントに楽しそうにやってますから。俺のアドバイスもちゃんと聞いてますし」

「で、守備は?」

「……嫌々《いやいや》やってますね。守備をしなくちゃいけない、ということ自体、あいつのプライドが許《ゆる》さないんでしょう」

イガラシはそう言って笑った。

「考えたんですけど、春の大会で近藤をレギュラーで使ってみたらどうでしょう?」

「あいつを? どのポジションで?」

「どんなに鍛《きた》えても内野はムリでしょうから、ライトですかね。あとはピッチャーとして登板《とうばん》させてみましょう」

「本気か？」

「はい。俺たちの一番の目標は、夏の地区大会を優勝して全国大会に出ることですよね。それまで、多少のリスクはあっても、近藤に守備の大切さや、チームワークの重要性をわかってもらったほうがいいと思います」

なるほど、一理《いちり》ある。でも、近藤を試合に出すのは、無茶《むちゃ》じゃないのか？　それに……。

「もし、近藤にピッチャーをやらすとしたら、イガラシはどこを守るんだよ？」

イガラシは俺を見てニヤリと笑った。

「セカンドと言いたいところですが、丸井さんの守備や打撃を試合で使わないのはもったいないので、まぁサードをやるのがいいんじゃないですか」

サード。つまり河野の守備位置か。近藤が投げるときは、河野をベンチに下げ、ライトで使うときは、ライトのレギュラーである島田をベンチに下げることになるのか。

「つまり、1年を使うために、3年をベンチに引っこめるのか？」

「そうなりますね。何か問題でも？」

イガラシが平然と言う。

イガラシの言いたいことはわかる。選手を起用するのに、学年は関係ない、と主張しているんだ。

そして俺も、その考えに納得しているはずだった。

ただ、そう簡単に割《わ》り切《き》れるものではない。なぜなら去年、俺自身が後輩《こうはい》であるイガラシにレギュラーを奪《うば》われたからだ。そのときのつらさを、俺は忘れることができない。

「学年なんて関係ありません。実力で決めるべきです。キャプテンは優《やさ》しい気持ちだけじゃできませんから。谷口さんなら、絶対に近藤を使うはずです」

「わかってる」

そう答えた。谷口さんのマネをするなと言いつつ、イガラシは、たまに谷口さんの名前を使ってくる。イガラシも、なんとか俺を説得したいのだろう。

イガラシの気持ちはわかる。割《わ》り切《き》れなくても、割り切らなくては。俺は自分にそう言い聞かせた。

一晩《ひとばん》考え、俺は結論を出した。

「春の大会で近藤をレギュラーで起用することにした」

練習前のミーティングで、俺はそう発表した。

「ポジションは、ピッチャーとライトの両方だ。だから近藤には、今日から外野の練習もやってもらうことにする」

「なんでピッチャーとライトの両方なんですか？　ピッチャーだけでいいですよ」

近藤が軽く言い放った。

「ライトもやらないとダメだ。お前は守備の大切さがわかってないからな」

「ピッチャーの守備練習ならしますよ。でも、外野なんかイヤです。しかもライトって。ライトなんて、カッコ悪すぎますから！」

島田が無言で近藤に近づいていくのが見えた。

え？　ちょっと待て！

ガッ！

島田が近藤を殴《なぐ》った。

横からいきなり殴《なぐ》られたので、近藤は無防備《むぼうび》だった。

近藤はあごを押《お》さえ、うずくまってしまった。

「おい、立て！」

近藤のユニホームのえりのあたりをつかみ、島田が怒鳴《どな》った。

「島田、やめろ！」

俺はすっ飛んでいき、島田を止めた。

「落ち着け、島田！」

「放せ、丸井！　おい近藤、お前、今何て言った!?」

「ダメだって！　とにかく落ち着け！」

他の3年生たちも加わって、なんとか島田を抑《おさ》えた。

島田はかなり興奮《こうふん》している。

「お前の気持ちはわかる。でも、頼むから落ち着いてくれ！」

そして俺は近藤に向き直った。近藤は、おびえたような表情で俺を見ている。なんで殴《なぐ》られたのか、まったくわかっていない顔をしていた。

「なにするんですか？　なんでボクが殴《なぐ》られなあかんのですか？」

　俺まで頭にきた。なんでコイツはこんなにバカなんだ。

「ライトがカッコ悪いってなんだ！　守備位置にカッコいいも悪いもないんだよ！　誰が今までライトを守ってたと思ってんだ！」

「あ、そういうことですか」

　ようやく近藤もわかったようだ。島田を見て、すまなそうな表情をした。

「あの……すいませんでした」

　そう言って近藤は、島田に頭を下げた。

　ところが。

「でも、殴《なぐ》ることないのに……」

　そんな、余計《よけい》な一言《ひとこと》を、近藤は付け加えた。

　まったくわかってなかった。俺もぶっ飛ばしたくなってきた。

「お前が悪いんだ！　ちっとは反省しろ！」

「反省はしますよ。でも、殴《なぐ》らんでもいいと思いますけど」

あくまでも近藤は言い返してくる。まいった。たしかに殴ったのは、かなりマズい。あとで島田と話さなくてはいけない。

「おい、島田、待てよ！」

学校からの帰り、俺は島田と一緒に帰ることにした。島田は河野と一緒に校門を出たところだった。

「なんだ、丸井？」

「いや、ちょっと一緒に帰ろうかと思って」

「今日のことか？　悪かったな」

「いや、あれは、近藤が悪いから」

そう言って俺は二人に並びかけた。なんとなく話しにくい。バカ話ならいくらでもできるけど、まじめな話をしなければいけないのかと思うと、なんだか気が重くなってくる。

「おい、そこのコンビニ寄《よ》っていこうぜ」

俺は、先にあるコンビニを指さした。そしてポケットをさぐる。よし、１００円玉が４枚あった。これなら二人にジュースをおごることができる。

「飲み物でも買おーぜ。おごってやるよ」

「なんだ、俺にもおごってくれるのかよ。遠慮《えんりょ》しないぜ」

河野がそう言って笑った。

島田はおもしろくなさそうにしている。

「で、丸井、なんの用だ？　飲み物とかいらないから話せよ」

「いいから。とにかくなんか買おうぜ。それに河野にも話があるんだ」


〈島田〉

いつものように河原《かわら》で石を拾《ひろ》って、俺は対岸《たいがん》に向かって投げた。対岸は柵《さく》があって人が入れないようになっているから、石を投げても人に当たる心配はない。もっとも対岸まで届《とど》くことはないのだが。

もう、ほとんど日が暮《く》れている。石がどこまで飛んだか、確認することができない。

ポチャン。

水の音がした。対岸まで届かず、石が川に落ちた証拠《しょうこ》だ。

俺の隣《となり》では、河野が河原に座っている。そして、なにをするわけでもなく、ただぼんやりと川面《かわも》を見ている。

「なぁ島田、丸井の話をどう思った？」

川面に目をやったまま、河野が言った。

「別に、どうとも思わないよ。しょうがないか、みたいな感じだ」

また一つ、石を拾って投げる。ポチャン。

「そうか？　近藤をライトで使う理由が、俺にはよくわからなかったけどな。あいつをピッチャーで使うのはいいとして、使わないときはベンチでいいだろ。そうすれば島田、お前はずっとライトのままだ」

「近藤の打撃が、俺より上ってことだろ。守備のヘタさに目をつぶってもお釣《つ》りがくるくらいに。それにあいつは肩《かた》もいい。鍛《きた》えれば、外野手としてなかなかのもんになるんじゃねぇの」

河野は返事をしない。また一つ、石を拾って俺は投げた。

「それよりお前はどうなんだ？　河野、お前は納得できたのかよ？」

「するしかないだろ？　だって相手はイガラシだぞ。いくらなんでも、イガラシに勝てるとは思えないからな」

もうだいぶ暗いので、河野の表情はよく見えない。でもきっと、いつものように執着心《しゅうちゃくしん》のないクールな表情をしているんだろうなと想像した。

丸井にもらったジュースを飲みながら、丸井から、今後の選手の起用について説明を受けた。

丸井は、春の大会では、近藤をずっと試合に出す予定だと言った。ポジションはピッチャーかライト。近藤がライトに入るときは、俺がベンチに下がり、ピッチャーをやるときには、イガラシがサードに入る。つまり、サードの河野が控《ひか》えに回るということだ。

3年の俺たちが、後輩の控えだ。

今の墨谷二中野球部には、2年生のレギュラーとして、キャッチャーの小室とレフトの久保《くぼ》がいる。つまり俺は、久保よりも下ということだ。もし俺が久保より上なら、近藤をレフトに入れて、久保をベンチに下げればいいはずだからだ。

俺たちに説明をしているときの丸井の苦しそうな表情を思い出す。

あいつなりに苦しんだのがわかるから、俺は黙《だま》って受け入れることにした。

実力の世界だから、しかたがないことなのかもしれない。ただ、俺の守備位置を奪《うば》うのが、近藤なのかよ、と思う。あいつはライトの守備を、まるで恥《は》ずかしいことのように言った男だ。

突然《とつぜん》――、

「実は俺、野球をやめようかと思ってるんだ」

軽い口調で河野が言った。あんまりさりげない言い方だったので、最初はその意味がよくわからなかった。

「野球をやめるって、どういうことだよ？」

「いや、だから野球部をやめるんだよ。退部ってことだ」

「どうして？」

「うん。ここらが潮時《しおどき》のような気がしてさ」

そんなこと言うなよ。がんばろうぜ――と言うことはできなかった。もちろんその逆に、そうか、それもありだな、なんて賛成することもしたくない。

俺は、河野の顔を見た。

月明かりにほんのり浮《う》かんだ河野の顔は、いつもと同じように、何事《なにごと》もないようなひょうひょうとした表情をしていた。

「そうか。で、いつ丸井にその話をするんだ？」

「それなんだよ、問題は。なんだか丸井がややこしそうな気がしてな」

そんな風に言って河野は笑った。


〈近藤〉


「ねぇパパ、聞いてるん？」

「聞いてるよ。野球部の先輩に殴《なぐ》られたんだろ？」

なんでか、パパの反応が冷たい。パパのほうから「野球部はどうだった？」なんて聞いてきたから、殴られた話をしたのに。

「でも、話を聞くかぎり、お前にも問題がありそうじゃないか」

パパが、もともとは大阪の人でないことは最近知った。仕事の関係で、大阪に長いこと住んでいただけやったらしい。ボクは生まれたときから大阪やったから、完全に大阪弁ネイティブやけど、パパはもともとこっちの人。戻ってきたら、すぐに大阪弁ではなくなってしまった。

「もー、大阪が恋《こい》しいわ！　あっちに帰りたい。あっちで野球やってたときは、めっちゃ楽しかったのに！」

あれ？　なんかパパがすごいまじめな顔をしてる。

「お前、ベアーズにいたころ、野球は楽しかったか？」

ベアーズというのは、ボクが大阪にいたころに入っていた少年野球チームのことだ。

「楽しかったで。当たり前やん！」

「チームの友だちも、ベアーズが楽しかったかな？」

「そりゃそうやろ。だって優勝したんやで！　ボクがピッチャーやって、ボクがホームラン打って、大会で優勝したんや。しかも何度も。みんな喜んでたし、楽しかったに決まってるやん！」

パパがため息をついた。なんで？　なんでため息なんや？

「思うんだけど、お前はいい部活に入ったよ」

パパがまじめな顔で言った。

「ちゃんとお前を叱《しか》ってくれる人がいるんだ。そりゃあ暴力はいけないことだ。でも、今回のケースは、お前にも問題があると思う。だから、パパは今回のことについて、なにもしないよ」

意味わからん。なんでパパはボクの味方《みかた》になってくれへんの？

「明日からも野球部の練習をがんばりなさい。それがきっとお前のためになるから」

そう言ってパパはニコリと笑った。

なんかもう、わけわからん。でも、パパがこんな感じになったときは絶対にアカン。ボクの言うことなんか聞いてくれへん。それは息子《むすこ》のボクがよく知ってる。

はあ、しゃーない。

あきらめて、あんまり怒られんように、ボチボチ練習するか。

3rd

イニング

春の大会が始まった。近藤という新戦力を得《え》て、墨谷二中がどれだけ成長したか、その実力を試す絶好《ぜっこう》の機会だ。

一回戦の相手は江東中《こうとうちゅう》だった。さっそく俺は、近藤を先発させることにした。

「やっぱりキャプテンさんは、見る目がありますわ。ボクに任《まか》しといてください！」

試合前、近藤がベンチの中で、緊張感のかけらもない気楽さで浮かれている。

そして、ベンチの隅《すみ》でスケッチをしている杉田《すぎた》先生を見つけると、

「あれ？　杉田先生、絵描《か》いてるんですか？　それなら、ボクをモデルにしていいですよ。カッコよく描いてくださいね！」

なんて図々《ずうずう》しく頼《たの》んでいる。

おとなしい杉田先生は、近藤のノリに圧倒《あっとう》され、苦笑《にがわら》いを浮かべている。

杉田先生は美術を教えていて、野球部と美術部の顧問《こもん》を兼任《けんにん》している。野球のことはよく知らないので、練習に顔を出すことはない。試合のときだけ、こうして監督《かんとく》としてやってくるだ

けだ。

「近藤！　緊張感《きんちょうかん》を持て！　公式戦なんだぞ！」

そんな俺の注意も、浮《う》かれた近藤にはまるで届《とど》かない。こんなんで大丈夫《だいじょうぶ》かと思ったが、試合は俺たちの圧勝《あっしょう》に終わった。12対0。3回でコールド勝ちを決めた。

「いい気分ですね！　丸井さん、ボクのピッチングどうでした？」

ロッカールームに戻《もど》る途中《とちゅう》、相変わらずの調子で近藤が声をかけてきた。

「悪くないよ。ただ、守備の練習をしろ！」

俺たちが試合中に許《ゆる》した唯一《ゆいいつ》のランナーは、近藤のエラーによるものだった。大きなバウンドのピッチャーゴロをお手玉し、あわてて拾《ひろ》い上《あ》げたかと思ったら、ファーストに暴投《ぼうとう》し、ランナーを出してしまったのだ。

「そうですね～、まぁ、守備もボチボチやらなアカンと思ってますけどね」

ため息が出る。勝ったからいいようなものの、この気楽さはやっぱり問題だ。

2回戦の向島《むこうじま》中戦ではイガラシを先発させた。これは夏の大会を見すえたローテーションだ。

一人のピッチャーでは、トーナメントを勝ち上がることはできない。イガラシと近藤を交互《こうご》に先発させることにより、それぞれの体力を温存《おんぞん》して、勝ち抜いていこうという作戦だった。

そして、その2回戦も圧勝だった。10対0。またしても3回コールド勝ちだ。

だが、懸念《けねん》もあった。近藤のライトの守備だ。簡単なフライを、落下地点《らっかちてん》にたどりつくまで右へ左へとフラフラしながら走って、かろうじて捕球したことが二度ほどあった。

しかし、その代わりといってはなんだが、近藤はホームランを打った。3打数3安打ーホームラン。打者としては完璧《かんぺき》な結果だ。多少守備に不安があっても、やはり近藤をライトで出場させるのは正解なようだ。

続く3回戦の港南《こうなん》中戦。ここまでくると、相手も手強《てごわ》くなってくる。

俺は、再び先発として、近藤をマウンドに送ることにした。

〈近藤〉


いい気分だな。

１回の表、先攻《せんこう》の墨谷二中は2点を奪《うば》った。ボク的にはもうこれで、試合は勝ったも同然。

だってボクからは、点を取れないんだから。

１回の裏《うら》。ボクはマウンドからぐるりと球場を見回す。

やっぱり、ピッチャーマウンドは最高や。なんでボクがライトを守らないとあかんのか、いまだによくわかっていない。

「近藤、バックを信頼して、どんどん投げていけ！」

セカンドの丸井さんから声がかかった。

「ハイ！　任《まか》せといてください！」

「近藤、港南は今までの相手とは違うぞ。絶対に気を抜くなよ」

サードのイガラシさんからも声がかかる。はいはい、わかってます。

「しまっていこう！」

キャッチャーの小室《こむろ》さんが大きな声を出した。

小室さんのサインをのぞきこむ。といっても、ボクはストレートしか投げられへんし、コーナーを突《つ》くなんてセコイことはやりたくないから、ただ見るふりをするだけ。ひたすらど真ん中を目指して、ボクは投げる。第一球、第二球と簡単にストライクをとった。そして、三球目に小室さんは、外角のボール球を要求してきた。少し様子見《ようすみ》しようということや。でも、そんなサインは無視《むし》することにした。目指すは三球三振。ボクは、ど真ん中にストレートを投げ込んだ。

「ストライク、バッターアウトッ！」

よし、空振りだ。三球三振。どんなもんや。

〈イガラシ〉

これはいいことなのだろうか。俺にはわかっている。いいわけがない。悪いことの予兆《よちょう》だ。2回の裏。近藤が今、港南の4番バッターから三振を奪《うば》った。これで1回から続けて四者連続の三振だ。

「どうです、イガラシさん？　ボク、なかなかのモンやと思いません？」

近藤がマウンドから声をかけてくる。完全に調子に乗っている。

「いいからバッターに集中しろ！　相手を甘《あま》く見るな！」

サードから怒鳴り返した。もっとも、こんな言葉で近藤の目が覚めるとは、これっぽっちも思っていない。

キン！

港南の5番バッターが打った。

初めてボールが前に飛んだ。サードゴロだ。

俺は、落ち着いて打球をさばくと、ボールをファーストに送る。アウト。

あれ？　近藤が不機嫌《ふきげん》そうな顔をしている。ひょっとして連続三振が途切《とぎ》れ、ボールを前に飛ばされたのが不満なのか？

やれやれだ。やっぱり痛《いた》い目《め》をみないと、近藤はわからないらしい。

それがこの試合になるかどうかはわからない。でも、どこかで一度、その鼻《はな》っ柱《ぱしら》を折《お》られないかぎり、近藤が成長することはないだろう。

でも、その後が楽しみだ。近藤がどんな風に変わるだろう。それを想像すると、いっそのこと早く打たれてしまえばいいのに、とすら俺は考えてしまう。

〈近藤〉

なんかスッキリとはいかんなぁ。なんでスカッと三振がとれないんやろ？

試合は3回の裏。4対0で墨谷がリードしている。

もちろん、ここまでボクはパーフェクトなピッチングを続けている。ランナーなんて一人も出してない。でも、ちょいちょい打たれる。ヒット性の当たりもあったけど、イガラシさんのファインプレーに助けてもらった。

よし、バッターに集中。絶対に三振や。

次の瞬間《しゅんかん》、キンという音とともに、ボールが目の前に飛んできた！　うわっ！

しまった、逃げてしまった！　ボールはセンター前に転がっていく。ヒットになった。

「近藤、逃げるな！」

イガラシさんに怒《おこ》られた。

「はい。すんません」

「相手は送りバントでくる可能性があるから。ボールが転がってきたら、落ち着いて処理《しょり》しろ。それと、セットポジションを忘《わす》れるな。ボークをとられるなよ」

セットポジションか……。ため息が出る。ボクはセットポジションが苦手《にがて》だ。

ランナーが出たら、セットポジションの体勢《たいせい》から投げないとあかん。大きく振りかぶるワインドアップでは、盗塁《とうるい》されてしまうからだ。

ところが、そのセットポジションというのがややこしい。いろいろな決まりがあって、ちょっとヘンな動きをすると、すぐボークになって、ランナーが自動的に進塁《しんるい》してしまう。つまり、もしランナーがサードにいたら、そのまま点を取られてしまうのだ。

えーと、何を注意すればいいんやったっけな？

「ボーク！」

主審が両手を広げて大声で言った。

ええー？ ボク、今なにしたん？

「なにやってんだよ！ ボークに気をつけろって言っただろう！」

イガラシさんが飛んできた。

「セットポジションに入ったら、きちんと静止してから投げないとボークになるんだって！」

「ボク、動いてませんよ」

「動いたからとられたんだよ。気をつけろ！」

はぁ〜、まいった。小学生のころは、こんなに厳《きび》しくなかったのに。やっぱり中学になるといろいろ違うんやな。

ボークをとられてしまったので、ランナーが自動的に二塁へと進んだ。まだノーアウト。セットポジションに注意しながら、ボクは第1球を投げた。

打者が送りバントをしてきた。ボールが目の前に転がってくる。よし、これならサードでアウトにできる！　ボクは、ボールを拾うと、素早《すばや》く振《ふ》り返《かえ》りサードのイガラシさんに投げた。が、それは大暴投《だいぼうとう》になった。

ランナーが、そのままホームインして1点を取られた。しかも、バッターも、セカンドまで進塁している。

「なにやってんだよ！」

丸井さんがマウンドにやってきた。他の内野手たちも集まってくる。

「すんません……」

「とにかく落ち着け。あわてなくていいから！」

「……はい」

その後、イガラシさんからも、いろいろな注意を受けた。でも、あんまりいろいろ言われすぎて、なにを言われたかよく覚えてない。

とにかく落ち着いて投げるんや。ボクは、セットポジションの体勢をとった。

しかし——

「ボーク！」

審判《しんぱん》が両手を上げて、さっきより大きな声で言った。

〈**丸井**〉

「もうお前が投げたほうがいいんじゃないのか？」

ベンチの中で、俺は小さな声で、隣《となり》に座《すわ》るイガラシに声をかけた。

「丸井さん、もう少し近藤に投げさせましょう。あいつは、少し痛《いた》い目《め》をみたほうがいいんです」

イガラシも小さな声で答える。

6回の表。俺たちが8点目を入れたところだった。普通ならコールド勝ちすら狙《ねら》える得点《とくてん》だが、実際の点差は3点だけ。8対5。俺たちは、港南に5点を奪《うば》われていた。

原因は、すべて近藤にあった。三回以降《いこう》の近藤のピッチングはヘロヘロだった。

守備がヘタなこと。基本的にストレートしか投げられないこと。そして、セットポジションが苦手《にがて》なことなどが相手にバレてしまったからだ。

一本調子のストレートだけでは、港南レベルになると、バットに当てるくらいは簡単にできる。そして一度ランナーが出ると、近藤はもろかった。バントで崩《くず》され、ボークを出し、あっという間に得点を重ねられた。

でも、交代はさせないほうがいいとイガラシは主張した。試合で痛い目を見ないかぎり、近藤の目は覚めないというのだ。

ちらりと近藤の様子を見る。さすがにションボリとしている。

よし、だいぶ薬《くすり》が効《き》いているな。イガラシの作戦成功といったところか。

「この回に、近藤が打ち込まれるようなら、そのときは俺がマウンドに上がりますよ。そしたら近藤にライトを守らせましょう」

チェンジになり、ベンチを出るとき、イガラシがそう小さな声で言った。

いくら、近藤の成長のためとはいえ、公式戦で負けるわけにはいかない。かじ取りが難しいが、近藤を教育しながら、勝ち進み、決勝で青葉学院と戦いたいところだ。

はぁ〜、まいった。とうとうボクは、マウンドを降《お》ろされてしまった。

ライトの位置から、マウンドに上がったイガラシさんの投球練習をながめる。

「近藤、ボンヤリするな！」

セカンドの丸井さんが振《ふ》り返《かえ》って怒鳴《どな》る。別にボンヤリしているつもりはないけど、このライトというポジションは退屈《たいくつ》でしょうがない。

7回の裏、最終回の港南の攻撃《こうげき》。中学では、9回ではなく、7回が最終回になる。スコアは8対7、墨谷が1点だけリードしていた。

つまり、ボクは7点も取られてしまった。しかも、ノーアウトでランナーを一塁と二塁に残したまま。そんな状況でボクはマウンドを降りた。

悔《くや》しい。なんでうまくいかんのやろ。

イガラシさんの投球練習が終わり、試合が再開した。

第1球をイガラシさんが投げる。ストライク。コーナーいっぱいのストレートだった。

イガラシさんはすごいや。体は小さいのに、ストレートは速いし、変化球のキレもすごい。

第2球。

あっ！　打たれた。でも、内野ゴロだ。サードに入った河野さんが捕《と》って、自分でサードベースを踏《ふ》んでからファーストに投げた。

惜《お》しい。ダブルプレーにはならんかった。でも、これでワンアウト。

次のバッターが打席に入る。

第1球、2球とコーナーぎりぎりの変化球でイガラシさんがストライクを取る。そして、一つボール球《だま》を挟《はさ》んでの第4球目。

相手バッターが思い切りバットを振《ふ》った。

ボールはフラフラと高く上がった。フライだ。

どこや？　どっちに飛んでるんや？　こっちか？　セカンド……いや、もっとのびてくる。

ボクのところや！

ボクは二、三歩前に進んだ。でも、そこで立ち止まる。距離感《きょりかん》がよくわからん。今度は後ろに少し下がった。

いや、違《ちが》う。　やっぱり前や！

思い切り前に走った。誰かの声が聞こえた。でも、それどころじゃない。ボールの落下地点に向って思い切りグローブを差し出した。

すごい衝撃《しょうげき》でなにかにぶつかった。

「痛《いた》ぁー、なんやねん！」

ぶつかった相手は丸井さんだった。丸井さんの顔が痛そうにゆがんでいる。

「だ、大丈夫です？」

「いいから、ボールを追え！」

ボール？　ボールはどこだ？

フェンスのほうにコロコロと転がっていくボールが見えた。

立ち上がり、追いかける。

ようやく追いついて、バックホームをしようとボクは振り返った。

え……？

港南の人たちがホームベースのあたりで、大喜びしながら抱《だ》き合《あ》ってるのが見えた。そして墨谷二中の選手たちが、ボンヤリと立って、ボクのことを見ている。

サヨナラ負けや。ランナー二人がホームインして逆転されてしまった。

「近藤、大丈夫か？」

丸井さんがボクのとこまで来て、声をかけてきた。怒《おこ》られるかと思ったけど、丸井さんの声はとても優《やさ》しかった。

「すいません。ボクのせいで……試合に負けてしまいました」

体はどこも痛くなかった。けど、胸がしめつけられるように痛かった。

試合に負けてしまったのは、自分のせいだ。誰のせいでもない。そのことは、はっきりとわかった。

「近藤、しょうがない。ただ、ライトだって大切なポジションだってことが、これでわかったろう？　それにピッチングも、お前は、まだまだ練習しなくちゃいけないことがたくさんあるんだ」

「……はい。すいませんでした」

「これから、もっとがんばって練習しろよ！」

そう言って丸井さんは、ボクの肩をポンと叩《たた》いた。試合に負けたのに、なぜか丸井さんの顔は少しだけ晴《は》れやかだった。

〈丸井〉


やはり青葉学院《あおばがくいん》はすごい。

スタンドから青葉学院の試合を見ながら、俺はため息をついた。

俺たちの次に青葉学院の試合があった。だから俺は、試合後のミーティングを早々《そうそう》に終わらせると、全員で青葉の試合を観戦《かんせん》することにした。

「丸井、やっぱり佐野《さの》は投げそうもないな。エースは温存か……」

隣《となり》に座《すわ》った加藤が言った。

全国大会の常連《じょうれん》である青葉学院は、地区大会の三回戦程度《ていど》ではレギュラークラスを出場させたりはしない。出ているのは控《ひか》えの選手ばかりなのだが、それでも青葉の力は圧倒的《あっとうてき》だった。

12対0。3回コールド勝ち。もちろん一人のランナーも青葉は許すことはなかった。

初めて見る青葉の強さに、1年生たちが息《いき》を飲《の》んでいる。

「おい、1年。これが青葉学院だ。俺たちのライバルだよ。俺たちは、青葉に勝つために野球をやってるんだ!」

立ち上がり、1年生たちを見回す。その中には、先ほどの試合ですっかり自信喪失《じしんそうしつ》した近藤のションボリした姿《すがた》があった。

試合に負けたのは残念だけど、これで近藤が変わってくれるなら、それだけの価値は十分にあるだろう。よし、ここから夏の大会に向けて、あらためてスタートを切ろう。

「よし、今日から再《さい》スタートだ! いいか、夏の大会に向けてガンガンやっていくから覚悟《かくご》しておけ!」

みんなにそう気合いを入れた。

「いいっすね、望むところですよ!」

いい感じでイガラシが合わせてくれた。

よし、いける! 俺の頭の中に、青葉を倒《たお》して大喜びするみんなの姿があった。

大丈夫だ。俺たちは、まだこれからだ。

俺は空を見上げた。雲ひとつない、五月の気持ちのよい青空が、どこまでも広がっていた。


〈丸井〉


「丸井、話があるんだけど、放課後、部室に来てくれないか?」

2時間目が終わっての休憩《きゅうけい》の時間、隣《となり》のクラスから河野がやってきて言った。

「なんだ河野? どうしたんだよ?」

「いや、たいした話じゃないんだけど、今の時期なら部室に誰も来ないし、いいかなと思ってさ」

来週から中間テストが始まる。墨谷二中では、定期テストの一週間前からは、部活動が禁止される。野球部の練習も、今日から休みになっていた。

「なんだよ、深刻《しんこく》な話か?」

「いや、そうでもない。たぶん、丸井にとっては」

そう言って河野は笑《わら》った。

どうもよくわからない。河野は、1年のころから、どこかとらえどころのない性格《せいかく》で、なにを考えているのかよくわからないところがある。

「長くなる話か？」

「いや、ならない。もしかしたら10秒《びょう》もあれば終わると思う」

「じゃあ、ここで言えよ。なんだよ？」

「わかった。……俺、野球部をやめることにしたわ」

あんまり軽い口調で言うから、冗談《じょうだん》だと思った。

「いや、冗談はいいから、早く用件を言えよ」

「言ったよ。俺、野球部やめることにした。それだけ。じゃあな」

そう言って、背を向けると、河野は歩き出した。

「おい、ちょっと待てってって！」

追いかけて、河野の腕《うで》をつかんだ。

「ふざけんなよ。冗談はよせって！」

「だから、冗談《じょうだん》じゃねえって。よく考えたうえでのことだ。とにかく言ったからな。じゃあ」

「おい、河野！　ふざけんなよ！」

大声を出してしまった。

休み時間でざわついていた教室が一瞬《いっしゅん》にして静まりかえった。全員の視線《しせん》が俺たちに集まる。

「こうなると思ったから、部室で話そうって言ったんだよ。でも、まぁいいや。丸井、俺は野球部をやめるから」

そう言って俺の腕《うで》を振《ふ》りほどくと、河野は自分の教室へと戻《もど》っていった。

「いや、待てって！　理由を説明しろよ。なんでそんなことを急に言い出すんだよ？」

河野を追いかけて、隣《となり》のクラスに入った。ここでも、みんなの視線が俺たちに集まった。

「いや、お前には急に聞こえるかもしれないけど、俺は、ずっと考えていたことなんだ。とにかくもう決心したことだから」

授業の始まりを告げるチャイムが鳴った。

「おい河野、とにかく今日、話し合おうぜ。放課後、部室に来いよ！　絶対だぞ！」

放課後。俺は、加藤と島田にも部室に集まってもらった。加藤は副《ふく》キャプテンとして、そして島田は、河野の小学校からの友人であり同じ野球部員として、なんとか説得してもらえないかと考えたからだ。

イガラシに相談するのはやめておいた。後輩《こうはい》だし、考え方にシビアなところがあるからだ。以前、近藤の退部騒《たいぶさわ》ぎのときに、「素質《そしつ》のない人間をひきとめはしない」と言っていた。イガラシを呼《よ》ぶのは怖《こわ》かった。「やめたい人はやめればいい」なんてことを言い出しかねないと思ったからだ。

部室の中央にあるテーブルの一方に、河野と島田が並《なら》んで座《すわ》り、その向かいに、俺と加藤が座った。

「河野、なんで野球部をやめるのか、その理由を説明してくれよ」

まず、俺が口火《くちび》を切った。

「別に理由なんかないよ。ただやめたくなっただけだ」

「そんなの通用するかよ。ちゃんと理由を説明しろよ」

河野が黙《だま》ってしまった。ただ苦笑《にがわら》いを浮かべ、加藤や島田をチラリと見る。

「おい、ちゃんと理由を言えって！」

「だから明確な理由なんかないんだって。やめたいからやめるんだ」

イライラしてきた。なんでこんな風に、はぐらかすんだ。こっちは真剣《しんけん》に聞いているのに。

「ウソつくなよ！」

「なんでウソってわかるんだよ？　お前が勝手に思ってる理由があるからだろ？」

その通りだった。これしか考えられないという理由があった。それを俺の口から言うのはどうかと思ったが、こうなったらしかたない。それをぶつけるしかない。

「お前は、イガラシの控《ひか》えでいるのがイヤなんだ。そうだろ？」

河野を真《ま》っ直《す》ぐ見て言った。

「お前は、もともと、俺たちの学年のピッチャーだった。でもイガラシが来て、ピッチャーをあきらめた。それでサードに回ったけど、そこでもまたイガラシの控えになった。近藤という新しいピッチャーが来たからな。お前は、そんな風にずっと後輩の控えでいるのがイヤになったんだよ！」

キッパリと言い切った。でも、すぐに後悔《こうかい》をした。河野の顔がゆがんでいたからだ。やはりここまで言い切るべきではなかったかもしれない。

「じゃあ、それが理由でいいよ。だから俺は野球部をやめる。もうそれでいいだろ?」

小さな声で河野が言った。

「いや、ダメだ。そんな理由で退部は認《みと》められない」

言い過ぎたことは反省した。でも、だからといって退部を認《みと》めるわけにはいかない。

河野が苦笑《にがわら》いを浮かべ、加藤を見た。

「こうなると思ったよ。な? 丸井に話すとややこしくなるだろ?」

「でも、キャプテンに報告《ほうこく》しないわけにはいかないだろ」

加藤が、そう返事をした。

ん? どういうことだ?

「おい加藤、お前、河野から、やめるってこと聞いてたのか?」

「まぁな。それで丸井に話せって言ったんだ。丸井が認めたら、俺も退部を認めるからって」

なんだそれ? 頭の中が、一瞬《いっしゅん》で熱くなった。

「その言い方、おかしくねーか? 俺が認めたら、お前も認めるってなんだよ? 副キャプテンとして自分の考えはないのかよ！」

「落ち着けよ、丸井」

「落ち着けるか、バカ！　お前自身の考えを言えよ！」

「だから俺は――」

そこまで言って加藤は言葉を切った。話すのを、少しためらっているようだった。

「――俺は、河野の気持ちがわかる。だから、もし河野が本気でやめたいのなら、その気持ちを尊重《そんちょう》してやりたい。それが俺の考えだ」

「ふざけんな！」

思わず怒鳴《どな》ってしまった。

「副キャプテンがそんなんでどうすんだよ！　おい河野！　俺は退部なんて絶対に認《みと》めねぇぞ！　練習が始まったら、引きずってでも、お前を参加させるからな！」

悔《くや》しくて涙《なみだ》が出そうだ。とてもじゃないが冷静でいられない。

「この話は終わりだ！　島田、河野を説得しとけ！　お前ら、親友同士だろ？」

そう言って立ち上がった。もう結論は出た。すぐにでも、こんな場所から立ち去りたかった。

「おい丸井、待てって！」

背後《はいご》から加藤の声が聞こえた。もちろん立ち止まるつもりなんてない。俺は乱暴《らんぼう》に部室のドアを開けると、そのまま外に飛び出していった。


「おい丸井、待てよ！」

校門を出たところで、加藤が追いついてきた。まさか、追いかけてくるとは思わなかった。以前、俺がキャプテンを降ろされそうになって部室を飛び出したとき、誰も追いかけてはこなかった。しかし、今回、加藤は、俺を一人にはしてくれないようだ。

「なぁ、丸井、聞けって」

「なにをだよ？」

俺は声を荒《あら》げた。まだ興奮《こうふん》は収《おさ》まっていない。

「俺の話をだよ。河野の退部を認めるみたいに聞こえたなら、それは謝《あやま》る」

「あたりめーだ！　なに考えてんだよ、副キャプテンのくせに！」

「けど俺、河野の気持ちがわかるんだよ。あいつがやめたくなる気持ちがわかるから、強くとめることができなかったんだ……」

「そんな気持ち、なんでわかんだよ！」

「いや、丸井。お前もわかってるはずだぞ」

俺は立ち止まり、加藤の顔を見た。

「どういうことだ？」

「だって、お前もさっき言ったじゃないか。イガラシの控《ひか》えに回ってばかりいるから、やめたくなったんだろうって。俺もそうだと思う。ひょうひょうとしているように見えるけど、河野にもプライドがあるんだよ」

「……けど、実力の世界なんだから、それはしょうがねえだろ」

「そうだよ、しょうがない。だから、お前は間違ってない」

加藤の顔をじっと見る。わからない。俺が間違ってないのなら、どうして俺の味方になってくれないんだ。

「じゃあ、河野をとめてくれよ。がんばって練習して、実力で見返せばいいんだから」

加藤は、ほんの少しだけ笑《わら》った。

「けど、相手はイガラシだぞ。イガラシに勝てると思うか？」

「でも……イガラシじゃなくたって、他のポジションだってあるだろ」

「たとえばどこだ？　ショートか？　ショートの滝《たき》を外すのか？　それともファーストの俺か？　丸井、お前がベンチに下がって、そこに河野を入れるのか？」

「だから、そういう話じゃなくてさ――」

「じゃあ、どういう話だよ？　外野か？　外野には2年の久保《くぼ》がいるな。あいつを外して河野をそこに入れるか？」

「いや、だから……」

言葉につまってしまった。全国大会を目指す以上、ベストなメンバーを組むべきだと思う。学年に関係なく、実力のある奴《やつ》がレギュラーになるべきだと、俺は決めていた。

「お前は間違ってないんだよ。誰も間違ってなんかいない。だけど、理屈《りくつ》じゃないんだよ。それに、そのことに一番苦しんだのが丸井だってことを、俺たちは知っている」

「じゃあ一緒に、河野を説得してくれよ」

「説得はしたよ。春の大会が終わったころから、ずっとな。でも、あいつの決心は変わらなかった。しょうがないよ。誰もが、お前やイガラシみたいに、すべてを野球にささげられるわけじゃないんだ」

「でも、やめなくたっていいだろ。試合に出られないってわけじゃないんだから」

「じゃあ聞くけど、丸井、もしお前が河野の立場だったらどうする？　喜んでイガラシの控《ひか》えにまわるか？」

「喜んでまわりはしないよ。でも、しかたないだろ、実力が足りないんだから」

「ホントか？　お前は今、チームのキャプテンで、セカンドのレギュラーで、３番を打ってる。本当に河野の立場で想像できているか？」

わからない。ただ、２年のころを思い出した。俺は、イガラシにセカンドのレギュラーを奪《うば》われ、野球部をやめようと考えたことがあった。

「さっきも言ったけど、俺、河野の気持ちがわかるんだよ」

俺の答えを待たずに、加藤が言葉をつないだ。

「こいつには、どうやったってかなわない。あきらめた、俺の負けだ、みたいに感じる奴《やつ》が身近にいる人の気持ちがさ。丸井、俺にとっては、お前がそういう存在なんだよ。お前は、イガラシみたいな才能があるわけじゃないけど、野球やチームメイトに対して、ホント熱いよな。その熱さも才能だ。俺には絶対、そんなことできないから」

〈島田〉


「おい島田、『河野を説得しとけ』って、丸井が言ってただろ。いいのか？」

河野がそう言って笑った。

俺たちはいつもの河原にいた。俺は、苦笑《にがわら》いを浮かべて、足元の小石を拾う。

「あぁ、そう言ってたな」

そう答えて、石を対岸《たいがん》に向かって投げる。

ポチャン。今日はまだ明るいので、石が川に落ちる音だけでなく、広がる波紋《はもん》もはっきり見ることができた。

「もう、ここに来るの、今日で最後にするわ」

河野がさびしそうに言った。

俺は何も答えず、また石を拾《ひろ》って投げる。

「よく、続けたよな、これ。もう1年くらいか？　ここに来るようになって」

「あぁ、それくらいになるな」

本当に、よく飽《あ》きもせず、1年間もこんなことを続けたものだ。

これは、前キャプテンである谷口さんに教えられた練習法だ。

『肩《かた》を強くするために、河原の石を投げ続けたプロ野球選手がいる』

そんな話を谷口さんがしてくれた。谷口さん自身も、小学生のころ、河原で石をよく投げたのだという。

俺もやってみることにした。外野手として、肩が弱いことを自覚していたからだ。そんな俺に、河野は根気《こんき》よく付き合ってくれた。河野自身が投げることはほとんどなかったが、こうして河原に来ては、俺が石を投げるのをじっと見守ってくれた。

「でも、とうとう向こう岸までは届《とど》かなかったな」

なんだか河野の声がしみじみとしていた。

「まぁな、この距離は、なかなか届かないよ」

でもきっと、近藤は軽く届かせるんだろう。それが才能ってやつだ。悔《くや》しいけど、持っている奴は、最初からそれが自然に備《そな》わっている。

俺も河野も似《に》たようなものだ。後輩に抜《ぬ》かれ、そいつの控《ひか》えになってしまっている。

でも俺は、河野と違って野球部をやめるつもりはなかった。それは別に、俺のほうが根性があるから、とかではない。ヘタだけど、俺はまだ野球が好きだからだ。

「俺が言うのもなんだけどさ――」

河野が、少し照《て》れたような顔で俺を見た。

「野球部、がんばってくれよな」

返事ができなかった。

俺の頭の中には、顔を真っ赤にして怒鳴《どな》った丸井の姿があった。

俺は、あんな風に感情をむき出しにして、怒ることができなかった。なまじ付き合いが長く、そして野球部での河野の立場がわかるから、説得はしたけれど、わりとすぐにあいつの退部を認めてしまった。

「なぁ、考え直してみないか、野球部のこと？」

石を投げながら、俺はもう一度だけ言ってみることにした。

河野が小さく笑った。

「なんだよ。お前まで、またそんなことを言い出すのか？」

「さっきの丸井を見てたら、また説得してみたくなった」

「勘弁《かんべん》してくれよ。熱血《ねっけつ》っぽいのはいいよ」

熱血か。たしかに河野といると、つい熱く本心を語るのをためらってしまう。でも、俺の本当の気持ちは河野にやめてほしくなかった。

「なぁ、賭《か》けをしないか？」

俺は河野に提案した。

「賭け？」

「そう。で、俺が勝ったら、お前は野球部をやめない。どうだ、やってみないか？」

「丸井、どれにする？　好《す》きなボタンを押せよ」

ジュースの自動販売機に硬貨《こうか》を押《お》し込《こ》み、加藤が俺に向かって言った。

「なんだよ、いいよ。自分のぶんくらい自分で買うよ」

「いいんだよ。俺がおごってやるよ。好きなの買えって」

俺は、ペットボトルのお茶のボタンを押した。

ガタン、と音がする。加藤がペットボトルを取り出し、俺に渡してくれた。

「丸井、前に島田と河野にジュースをおごってやったことがあったろう？　それで、二人に、試合での起用について話をしたんだよな。イガラシと近藤の控《ひか》えにまわってもらうって。あいつらから聞いたんだ」

そう言って加藤は、また硬貨を自販機《じはんき》に入れた。そして、缶《かん》コーヒーのボタンを押す。

「二人はなんて言ってた？」

「丸井って、いい奴だって言ってたよ」

そう言いながら、加藤は缶《かん》コーヒーを取り出した。

「ウソつけ」

「ホントだよ。お前はいい奴だ。だから河野も苦しんだんだよ」

そう言って加藤は、すぐ先にある公園に入っていった。

「さっきの続きだけどさ――」

加藤が公園のベンチに腰かけた。その隣に俺も座る。

「俺、去年、丸井をキャプテンから降《お》ろそうとしたことがあったろ?」

「あぁ、そんなこともあったな」

「俺、あのときに気づいたんだよ。俺は、丸井にはかなわないし、丸井みたいなバカにはなれないって…」

そう言って、加藤は缶コーヒーのふたを開《あ》け、一口飲んだ。

「『バカ』って、それ、どういうことだよ?」

「青葉に勝つとか、全国制覇《ぜんこくせいは》するなんて、バカじゃなきゃ考えないし、まして、口に出して言ったりしないさ。お前やイガラシって、本物の野球バカじゃん。でも、そういう野球バカじゃないと、チームをまとめられないよな」

　加藤は、そこまで一気に話すと、少しさびしそうな口調で続けた。

「俺、ホントは、ちょっとだけキャプテンをやりたいって気持ちがあったんだ。でも、お前がやめるってなったときに、イガラシから『じゃあ、新しいキャプテンは誰がやるんですか？』って聞かれて、その瞬間《しゅんかん》に俺、うろたえちまってさ。そのとき気がついたんだ。俺には、墨谷のキャプテンはできないって」

　そう言って、また一口、加藤は缶コーヒーを飲んだ。

「俺には荷《に》が重すぎる。全国大会を目指す野球部のキャプテンなんて。俺たちの代で、それができるのは丸井、お前だけだ」

「そんなことないだろ。別に俺じゃなくたってできるって」

「いや、できない。たとえば、谷口さんの前の今井《いまい》キャプテンがいたころの野球部だったら、俺でもキャプテンが務《つと》まったと思う。でも、谷口さんが野球部を変えた。野球部の目標《もくひょう》を変えた。もう、俺じゃムリだ。みんなを引っ張って、全国大会を目指すなんてとてもできない。丸井、お前は、すごい奴だと思うよ。谷口さんは、何も言わず、背中で引っ張ってくれた。お前は、なにも言わず、なんてことはできないだろうな。でも、みんなをうしろから押《お》してくれていると思う」

　そうだろうか？　よくわからない。俺が谷口さんになれないことはたしかだが……。

「だから、河野の気持ちがわかるんだよ。俺がお前に対して感じたように、河野はイガラシに絶対に勝てないって感じたんだ。俺は、お前とは同い年だし、試合にも出られる。でも、河野の場合は、ずっとイガラシの控《ひか》えの立場なんだ。あきらめた瞬間に気持ちが切れるっていうのが、なんか俺には、すごくよくわかるんだよ」

　少し、俺にも理解できた。……でも、やっぱり、河野の退部を認《みと》めたくはない。

「丸井は、罪悪感《ざいあくかん》を持ちたくないから、河野にやめてほしくないんじゃないのか？」

　罪悪感という言葉が心に響《ひび》いた。そうかもしれない。俺は、自分の都合《つごう》で、河野にやめてほしくないと思っているのだろうか。

「俺は副キャプテンとして、丸井のつらさがわかる。本当は、選手の起用を決めるのは、監督の仕事だろ？　でも、墨谷は違う。キャプテンであるお前が、嫌《いや》な役回りを演《えん》じなくちゃならない。だから、そのつらさを分けてくれよ。副キャプテンとして、俺はお前の選手起用は正しいと思っている。河野が退部するのは、俺の責任でもあるんだ」

やっと加藤の言っていることが、頭では理解できた。でも……俺の心は納得していない。

俺は立ち上がった。そしてペットボトルのお茶を一気に飲む。飲みながら、涙《なみだ》が出てきた。

「ありがとう、加藤。お前の言っていることが、やっとわかった。でも、やっぱり河野にはやめてほしくない。それは、俺のわがままかもしれない。それでも、あいつにやめてほしくない！」

飲《の》み干《ほ》したペットボトルを近くのゴミ箱に投げ入れ、俺は走り出した。

「俺、もう一回だけ、河野を説得してみる！　やっぱり、河野がやめるなんて絶対にイヤだ！

俺は、そんなに、ものわかりよくなんてなれない！」


〈河野〉

島田の様子がおかしい。いつもとまるで違う。手あたりしだい、足元の手ごろな石を拾っては、次々と対岸《たいがん》に向かって投げている。投げる角度を変えたり、助走をつけたり、投げるときに声を出したり、出さなかったり。もういくつ石を投げたか見当もつかない。

「おい、島田、いつまでやってんだよ？」

「決まってんだろ、向こうに届《とど》くまでだ。河野、気長《きなが》に待っててくれ！」

島田が俺を見て答えた。口調は軽いが、表情は驚くほど真剣《しんけん》だった。

「それじゃ、キリがねぇって！　あと、いくつ投げるのか、決めようぜ」

「いや、ルールは『石が向こう岸に届いたら、お前は野球部をやめない』、それだけだろ。あとからルールを変更《へんこう》してもらっちゃ困《こま》る！」

「だって、それじゃ終わらねぇだろ！」

島田は返事をしない。そして、黙《だま》って石を拾うと、気合いを入れてそれを投げた。

ポチャン。向こう岸からは、５メートルは離れたところに波紋《はもん》が広がった。

これが島田の言った「賭《か》け」だ。もし、島田が投げた石が対岸に届いたら、俺は野球部をやめない。それだけを決めて、俺たちはこの勝負を始めた。

儀式《ぎしき》みたいなものだと思っていた。いったんは退部を認めたものの、丸井に言われて、もう一度俺を説得したけど、やっぱりダメだった。そんな風に島田は自分を納得させるために、こんな賭けを提案してきたんだと、俺は考えていた。

でも、実際は違った。島田は、ずっと石を投げ続けている。あきらめる様子はまるでない。助走《じょそう》をつけ、岸のギリギリで投げる。勢いあまって、川に落ちそうになっているくらいだ。

「なあ、ムリだって。もう、あきらめてくれよ」

そう声をかけるが、島田は振り向きもせずに石を投げる。

「俺、丸井に言われてわかったんだ――」

向こう岸に、じっと目をやったまま、島田が答えた。

「俺、ものわかりがよすぎた。お前の性格はよく知ってるし、お前の気持ちもわかる。だから、説得ができなかったんだ。でも、それは間違っていたと、今はわかる。俺は、お前に野球部をやめてほしくない」

そう言って、また石を拾って投げた。

「それに、お前は見かけによらず頑固《がんこ》だから、こうやって、お前を賭けに引っ張り込んだんだ」

でも、対岸に石が届くことはない。当然だ。今まで一度だって、島田は石を届かせたことがない。だからこそ俺は、これは島田が納得するための儀式だと思ったんだ。

太陽が西に傾《かたむ》き始める。この賭《か》けを始めてから、ずいぶん時間がたった。これではキリがない。どこかで決着をつけなきゃダメだ。

「おい、もうやめにしよう！」

俺は、島田の腕《うで》をつかんだ。

しかし、無言で俺の手を振《ふ》り払《はら》うと、島田は石を拾い、また投げた。

もちろん届かない。

どうすればいい？　俺は途方《とほう》にくれた。どうすればいいのか、わからなくなった。

「ちくしょぉぉぉう！」

突然《とつぜん》、島田が吠《ほ》えた。

驚《おどろ》いて島田の横顔を見る。

島田は泣きながら、向こう岸をにらみつけていた。なぜなんだ？　どうして届かない？　そんな心の叫《さけ》びが聞こえてくるようだった。

「河野ォォ！」

そのとき、何者かの怒鳴《どな》り声が聞こえた。振《ふ》り返《かえ》ると、土手《どて》を駆《か》け下《お》りてくる丸井の姿《すがた》があった。後ろには加藤もいる。ずっと走ってきたらしく、近づいてきた二人は汗《あせ》びっしょりだった。

「河野！　俺、やっぱり、お前にいなくなってほしくない。野球部をやめないでくれ！」

丸井は泣いていた。泣きながら、ずっと走ってきたのだろうか？

「丸井！　だったらお前も石を投げろ！　向こう岸に届《とど》いたら、河野は野球部に残ってくれるから!!」

島田の大声が響《ひび》いた。島田はまた石を拾い、全力で投げた。

ポチャン。水面に波紋《はもん》が広がった。

丸井が、ポカンとした表情をしている。

「島田、それどういうことだ!?」

「言った通りだ！　石が向こうに届けば、河野は野球部をやめないぞ！　わかったら、丸井もさっさと投げてくれ！」

丸井の顔がパッと輝《かがや》く。

「わかった！　とにかく届かせりゃあいいんだな。任せろ！」

「おい、ちょっと待てよ！　二人とか、反則《はんそく》だろうよ！」

俺は割《わ》って入《はい》った。丸井まで参加したら、収拾《しゅうしゅう》がつかなくなってしまう。

「そんなルールは決めてない！　丸井だって、お前にやめてほしくないんだ。参加する権利はある」

もう島田は、涙を隠《かく》そうともしない。そして、石を拾い投げる。

「――二人じゃなくて、三人だ！」

加藤の声がした。加藤は、俺を見て微笑《ほほえ》み、そして足元の石を拾った。

「覚悟《かくご》しておけ」

三人で石を投げ始めた。

けれど、誰の石も届かない。結局のところ、三人の中で、一番遠くに投げられるのは島田だった。つまり、いつまでやったってムダということだ。

「うっしゃぁぁぁ！」

丸井が気合いとともに投げた。そして、勢《いきお》いあまって、川の中に足を踏《ふ》み入《い》れてしまった。すねのあたりまで、丸井は水につかった。このあたりは、それほど水深《すいしん》があるわけではない。

「おい、ムチャすんなよ」

俺は、あきれて声をかける。けれど、丸井は、水に落ちたことなど、まるで気にしないかのように、すぐに岸に戻《もど》ると、また投げやすそうな石を探し始めた。

あれ？

なんかヘンだぞ。

島田が俺を見て笑っていた。さっきまでの苦しそうな表情とは、まるで別人だ。どうしたんだろうと不思議に思った。

「おい島田、どうした？」

島田は返事をしない。黙《だま》って石を拾うと、もう一度俺に笑顔《えがお》を見せ、そして水の中へバシャバシャと足を踏《ふ》み入《い》れていった。

……ウソだろ？

水の中を3メートルほど島田は進む。そこから投げるということらしい。

「おい島田、やめろって！　危《あぶ》ないだろ！」

「いや、危なくない。たいして深くない」

島田は、振り返って笑った。

でも浅いわけでもない。ひざの下のあたりまで、島田は水につかっている。

「川に入っちゃいけないなんてルールは作らなかったからな」

島田が楽しそうだ。こんなにもうれしそうな島田を、俺は見たことがなかった。

丸井が大喜びしている。

「そうか、その手があったか！　よし、早く決めちまおうぜ！」

そう言うと、丸井も石を持ってバシャバシャと川の中に入っていった。

「どっちが早く届《とど》かせられるか、競争しようぜ！」

丸井が楽しそうに言って石を投げた。もう届くと確信《かくしん》しているみたいだった。

二人の石は、どちらも届かなかった。けれど、当たり前だけれど、ぐっと岸に近づいた。も
うあとほんの少しの距離《きょり》だ。

「最高だな、こいつら！」

加藤の笑い声がした。そして俺を見る。

「もう、あきらめろ河野。お前の負けだよ」

そう言って石を拾うと、加藤も川の中にズンズンと入っていった。

三人で、川の中から石を投げる。届かなければ、そのぶん前に進めばいい。いずれ届くことがわかっているからか、まるで遊んでいるみたいに、三人は楽しそうだった。

なんて奴《やつ》らだ……。

あきれると同時に涙《なみだ》が出てきた。

わかった、もういい、お前らの勝ちだ。

そう言おうと思ったとき――。

ガサッ！

水ではなく、草に石が飛び込んだ音が聞こえてきた。

島田が投げた石だった。島田は、ひざの上のあたりまで水につかり、とうとう向こう岸へ石を届かせた。

「やったぞぉぉ！」

まず丸井が叫んだ。そして島田に抱《だ》きつく。そこに加藤も加わった。三人で、飛《と》び跳《は》ねるように、水の中で喜んでいる。

「見たか、河野⁉　俺たちの勝ちだ！　約束だ‼　野球部をやめるなよ！」

泣きながら笑い、そして子どものようにはしゃぎながら島田が叫《さけ》んだ。

――負けたよ、島田。ありがとう。丸井も加藤も、ありがとう。

「わかった！　野球部はやめない。だから、もう戻《もど》ってこいよ」

そう俺は答えた。もう、野球部に残るしかない。いや、野球部に残れるんだ。

「よっしゃぁぁぁ！」

丸井は、そう叫《さけ》び声《ごえ》を上げると、手のひらで水をすくい、それを島田や加藤にかけた。

「冷てぇよ！」

そう言いながらも、島田が嬉《うれ》しそうに、丸井に水をかけ返す。そこに加藤も加わり、三人での水のかけ合いがはじまった。

なんなんだ、こいつら！　俺は『戻ってこい』って言ったのに……。

と思ったら、丸井が駆《か》け上《あ》がってきて、俺の手を取ると、そのまま川の中に引きずり込んだ。

「なにすんだ、丸井⁉」

「いいから、お前もまざれ！　カッコばかりつけてないで、たまには、こういうのもいいだろう!?」

そう言って丸井は、俺にも水をかける。丸井だけじゃない。島田も加藤も、うれしそうに俺に水をかけて笑ってる。

「お前らマジかよ！　ありえねぇって！」

笑いながら、俺もやり返す。心の中では、「俺、こんな風にはしゃぐタイプだったっけ？」なんて思いながら。

どうやら丸井の熱気が、俺にも伝染《でんせん》してしまったようだ。

最初に島田や加藤が引っ張り込まれた。そして、それが俺にまで回ってきたということだ。

気がついたら、俺も子どもみたいに泣いていた。俺らしくない。

でも、この水遊びでビショビショになって涙をごまかせればいい。わだかまりもすべて流れてしまえばいい。俺はそう思った。

4th

イニング

「丸井くんてさ、テストの点を見られてもぜんぜん平気だよね。それ、普通なら隠《かく》す点だよ」

隣《となり》の席の小野寺《おのでら》が、クスクスと笑いながら小さな声で話しかけてきた。

38点。これが一学期の期末テストでの、俺の数学の点だ。隠しても点数が上がるわけじゃないから、俺は解答用紙をそのまま机《つくえ》の上に広げておいた。

「別に隠す必要ないだろ。いいんだよ、数学なんて」

「まぁ、丸井くんが勉強得意だったら、逆にビックリだけどね。なにしろ野球しか頭にないんだからさ」

「ほっとけ！」

俺は苦笑《にがわら》いして答える。俺と同じ「野球バカ」のイガラシは、実は勉強でも、学年トップクラスらしいから、野球のことは言《い》い訳《わけ》にはできない。

教壇《きょうだん》では先生が、テスト問題の解説をしている。でも、俺の頭には入ってこなかった。

「青葉学院の野球部って、いろいろすごいらしいよ」

小野寺が、小さな声でそんなことを言ったからだ。

「いろいろすごいって、何が？」

「野球部のＯＢとかが、教えに来てくれるんだって。ほら、プロ野球の新巻《あらまき》選手とか。あの人、青葉学院の卒業生でしょ？」

青葉学院野球部は伝統があるので、大学野球や社会人野球、そしてプロにもたくさんのＯＢがいる。去年プロになった新巻選手は、その中でも特に有名だった。

「しかも、野球部専用のグラウンドがあるんだって」

「マジで？」

「わたし、見に行ってみたんだけどさ、外からは野球部のグラウンドは見えないんだよね。さすがによその学校の敷地《しきち》に入る勇気はなかったから、あきらめて帰ってきたんだけどさ」

「えっ？　小野寺は、青葉まで見に行ったの？」

「うん。興味があったから、取材を兼《か》ねてね。ほら、わたし新聞部だから」

小野寺がそう言って笑った。

去年、キャプテンになってすぐ、校内新聞に書かれた野球部の記事のことで、俺は、新聞部の部長である小野寺と口論《こうろん》をした。それがきっかけで、俺はイライラして、野球部の雰囲気《ふんいき》も悪くなり、いったんは俺がキャプテンを降《お》りるところまでいった。でもそれは、今考えれば、より強いチームワークを築《きず》くために、必要なことだったのかもしれない。それ以来、小野寺もよく野球部の練習や試合を見に来るようになった。

そして、3年になっても俺たちは同じクラスになり、今では野球に限らず、いろいろなことを言い合える仲《なか》になっていた。

「夏の大会で優勝したいんだったら、強豪《きょうごう》チームの情報くらいは知っといたほうがいいよ。たとえば江田川《えだがわ》中の井口《いぐち》って2年生のピッチャー知ってる？　彼ね、ものすごい剛速球《ごうそっきゅう》を投げるの。でも、左バッターが相手だと、コントロールに不安があるんだって」

「井口のことは知ってるけど……なんで小野寺が、そんなこと知ってんの？」

「春の大会で、江田川中の試合を見たから」

小野寺は、当然のような顔で答える。

「観客席に江田川中のOBらしい人たちがいて、話してるのを、聞いちゃったんだ。『井口は、相変わらず左バッターが苦手だな』とか、『打たれてもいいから、球数《たまかず》を左バッターに対して増やすなよ』なんて言ってるのを」

観客席の会話に耳を傾《かたむ》けるなんて、野球を知らないなりに考えたな。俺は感心してしまった。

「わたし、前に、丸井くんに『野球を知らない奴が勝手なことを書くな！』って怒鳴《どな》られたでしょう？　あれが、すごく悔《くや》しかったんだ。だから、野球の勉強をしたし、試合もたくさん見た。そしたら、野球がおもしろくなったんだ。それで、青葉学院の練習も見たくなったっていうわけ」

たいした行動力だ。たしかに地区大会で優勝を狙《ねら》うのなら、強豪チームのことは知っておいたほうがいい。少なくとも青葉の練習は見ておくべきだろう。

「青葉学院の練習って、カンタンに見られるの？」

「偵察《ていさつ》に行くの？」

「だって、そんなこと言われたら、どんな練習してるのか気になるだろ」

「一緒に行こうか？」

「はぁ？」

「あそこの制服《せいふく》、ウチとあんま変わんないし、夏服だったら絶対にバレないから。わたしも一人じゃ不安だったけど、丸井くんが来てくれるなら、中に入りたいし。一緒に行こうよ」

すげぇ！　なんだこれ？

俺は息を飲んで、青葉学院中学の野球部専用グラウンドをながめた。土曜日の部活を休んで、小野寺と二人で青葉学院までやってきた。

副キャプテンの加藤にだけ事情を話し、野球部の練習を任せた。小野寺と二人きりというのは、なんだか照《て》れくさかったけど、野球部のグラウンドを見た瞬間《しゅんかん》に、そんな思いはどこかに吹《ふ》き飛《と》んでしまった。

素晴《すば》らしい設備《せつび》だ。そもそも野球部専用のグラウンドというのがすごい。サッカー部と狭《せま》いグラウンドを共有している墨谷とは大違いだ。

ノックをやっていた。迫力《はくりょく》がすごい。そして、みんなメチャクチャうまい。とても捕《と》れそうもない打球を軽々とキャッチし、素早く送球している。

ダメだ。悔《くや》しいけれど、俺よりうまい。というより、墨谷でこいつらに対抗《たいこう》できるのは、やっぱりイガラシだけだ。ホントにこんな連中に勝てるのだろうかと不安になってくる。

あれ？

少し落ち着いてくると、グラウンドに青葉の監督《かんとく》の姿《すがた》がないことに俺は気がついた。いや、監督だけじゃない。佐野の姿もなかった。

「丸井くん」

小野寺がやってきた。俺が夢中《むちゅう》になっている間に、一人でいろいろ見て回ってたらしい。

「グラウンドで練習しているのは、2軍の人たちみたい。1軍の人たちは、室内練習場でバッティング練習をしてるんだって」

「2軍？　あそこでやってるのは2軍なの!?」

そうだったのか。どうりで佐野がいないわけだ。青葉学院は、2軍といえども地区大会で決勝まで勝ち上がるほどの実力がある。つまり俺は、2軍の練習を見て、そのレベルの高さに驚《おどろ》いてしまったということだ。

小野寺について歩くと、体育館みたいな建物が、目の前に現れた。これが野球部の室内練習場らしい。窓《まど》があったので、小野寺と並んで中をのぞきこんだ。

ピッチングマシンがあった。しかも3台も。青葉のレギュラー連中が、そのマシンを相手にフリーバッティングをしていた。

なんだ、このスピード⁉

ピッチングマシンから繰《く》り出《だ》される球は、とんでもなく速かった。高校生、いやプロ野球選手の球速くらいは出ているだろう。

そんなすごい球に青葉の連中はくらいつき、しっかりとバットに当てている。そして、スイングが驚《おどろ》くほど速い。

俺は、去年の夏合宿を思い出した。谷口さんの指示で、ピッチャーに3メートルくらい近づいて、俺たちはバッティングをした。青葉出身の谷口さんは、こんなマシンの存在《そんざい》を知っていたから、少しでも似《に》た練習をしようと考えたのかもしれない。

そして、別の一角ではティーバッティングをしていた。バッティングネットが4つもある。つまり、同時に四人がティーバッティングをできるということだ。

ものすごく効率《こうりつ》がいい。しかも、これは室内練習場。俺たちは雨が降《ふ》ると、せいぜい校舎《こうしゃ》の中で筋《きん》トレをするくらいしかできないが、青葉には天気なんて関係ないんだ。練習不足になることは絶対にないということだ。

「あんたたち、誰？」

背後から、不意に声をかけられた。

振り返ると、そこに佐野がいた。俺たちは夢中になりすぎていたようだ。

「よぉ、佐野。久しぶりだな」

「えっ？　……墨谷の丸井？」

佐野が目を細めた。

「こそこそ偵察《ていさつ》にきたの？」

「まぁ、偵察っていえば偵察かな。青葉野球部は設備がすごいって聞いたから」

「設備？」

佐野が薄笑《うすわら》いを浮かべた。

「いくらすごい設備があったって、それを使いこなす能力がなかったら、宝《たから》の持《も》ち腐《ぐさ》れだろ。この設備に見合う実力があるのは、全国でも僕たちくらいじゃないかな」

「そうか？　少なくとも墨谷二中は、青葉に負けない実力があるけどな」

「よく言うよ。春の大会で三回戦で負けたくせに」

「去年、俺、お前からホームラン打ったんだけど、忘《わす》れた？」

佐野の表情が少しゆがんだ。プライドの高さと、自分と同様の短気な性格は変わらないようだ。

「丸井、中に入って見ていくか？　監督に話してやるよ」

怒りを押《お》し殺《ころ》した顔で佐野が言った。なんとか平静《へいせい》を保《たも》とうとしているのがまるわかりだ。

いや、いいよ。帰って練習するから――、そう答えようと思ったら、

「ホント？　じゃあ、遠慮《えんりょ》なく！」

と、小野寺が横から口を出してきた。

佐野に案内され、俺たちは青葉の室内練習場に入った。そして監督に紹介《しょうかい》される。

「監督、墨谷二中の野球部の人たちが見学に来てます」

「おぉ、そうか。私は青葉学院野球部で監督をやっている川原《かわはら》だ。ゆっくり見ていきなさい」

青葉の監督は余裕《よゆう》たっぷりだった。去年苦戦したとはいえ、同じ地区の中学校なんて敵《てき》だと思っていないのだろう。

「はい、ありがとうございます」

そう答えて、中をグルリと見回す。やっぱり、かなり広い。足元には、ちゃんと土がしかれている。要するに、内野より一回り広いグラウンドが、そのままますっぽり建物に覆われているような感じだった。

練習の熱気がすごい。もともと素質《そしつ》のある連中が、これだけの恵まれた環境の中で、厳《きび》しい練習をしている。強くて当然だと思った。これが日本一のレベルだ。でも、俺たちの目標は、こいつらを倒《たお》すことだ。

「去年、墨谷には、谷口君という選手がいたな?」

ふいに青葉の監督が声をかけてきた。

「はい。キャプテンだった人です」

「彼は今も、野球を続けているのかな?」

俺は言葉《ことば》に詰《つ》まってしまった。

なんと返事をしていいのかわからない。噂《うわさ》では、谷口さんは、高校で野球部に入っていないらしい。青葉学院との決勝戦で負ったケガが原因とのことだ。

去年の二学期、谷口さんの家の近くでやったキャッチボールを思い出す。本当は苦しい状態だったはずなのに、谷口さんは、俺とキャッチボールをして、無言のアドバイスをくれた。それに報《むく》いるためにも、なんとしてでも青葉を倒したい。

「……彼はいい選手だった」

言葉を返さない俺に、青葉の監督はなにかを感じたのかもしれない。どこか谷口さんをなつかしむような口調だった。

「あと、君たちのチームにはイガラシ君という子もいたな。ピッチャーをやっていた彼だ」

「はい、います！　あいつはウチのエースで、まだ2年生です」

さすがはイガラシ。青葉の監督にも、名前を覚えられていたのか。

「彼もいい選手だ。ウチにほしいくらいだ。佐野とエースを競《きそ》わせたら、相乗効果《そうじょうこうか》でどんどん二人とも伸びると思うんだがな」

そう言うと、青葉の監督は黙《だま》ってしまった。もう会話は終わりらしい。俺の名前は出てこなかった。名前も知らないのだろう。悔しくて、ちょっと気まずかった。

「丸井、お前、これ打てるか？」

佐野が嫌味《いやみ》っぽく言ってきた。でも、それが気まずい雰囲気《ふんいき》からの助け舟《たすぶね》になってくれた。

ひょっとすると、「もしイガラシが青葉にいたら、佐野とエースを競わせていた」という監督の言葉に、佐野は腹《はら》を立てているのかもしれない。佐野は、俺と同じ3年生だ。年下のイガラシと比《くら》べられたことが、プライドの高い佐野には許せなかったのだろう。

さて、どうする？　ピッチングマシンの球を、俺は打つことができるのか？　でも、墨谷のキャプテンとして引くわけにはいかない。

「おぉ、いいんなら打たせてもらうよ」

「大丈夫なの？」

小野寺が心配そうに聞いてくる。

「わかんないけど、やるしかないだろ」

墨谷にいるのは、イガラシだけじゃない。「キャプテンの丸井がいる」ということを、青葉の連中に見せておきたかった。

バットを借《か》りて、ネットをくぐった。バッターボックスに入り、バットを構える。

ボールを持ったピッチングマシンのアームが、ゆっくりと回り始めた。

ブォン！

ものすごい速球が通り過ぎ、そのままネットに突《つ》き刺《さ》さった。ボールが空気を切《き》り裂《さ》く。その風がふわりと顔に当たったたような気がした。

しょせんは、配球もかけひきもない機械が投げたボール――そう思ってなめていた。しかし俺は、バットを振ることすらできなかった。

「速すぎた？　もっと遅《おそ》くできるけど？」

佐野が、嬉《うれ》しそうに言った。

「いや、このままでいい」

当たり前だ。俺は墨谷の代表なんだ。意地《いじ》でも打ってやろうと思った。

2球目。空振り。完全に振《ふ》り遅《おく》れだった。

3球目、4球目、5球目。全部空振りだった。

クソ！　負けるか！　絶対に当ててやる。当てるだけなら、バントなら、なんとかできるかもしれない。でも、そういうことじゃない。青葉の連中は、このスピードで普通に打撃練習をしているんだ。

カチッ。

ようやくバットにかすった。絶対に前にボールを飛ばしてやる。心の中で気合いを入れ、俺はバットを構えた。

どうしてもボールが前に飛ばない。もう何回バットを振っただろう。

「いくぞぉ！」

まるで試合のときのように大声で気合いを入れ、バットを構える。

それなのに……。一番の当たりが、試合だったら一塁側スタンドへのファールフライになる打球だった。

チラリと青葉の連中の表情を見る。まるで前に飛ばせない俺を、半笑《はんわら》いで見ていた。

くそう、負けるもんか！

「えっと、墨谷のキミ、もうそれくらいでいいんじゃないか。なかなかいい振りをしている。悪くないよ。きちんと練習すればいいバッターになれる」

青葉の監督が声をかけてきた。「きちんと練習すれば」と青葉の監督は言った。きちんと練習をしてきたつもりだったが、そんなものでは足りなかったのだ。さすがにもっと打たせてくださいと頼《たの》むことはできなかった。青葉の選手たち、佐野、そして小野寺の前で、俺はぶざまな姿《すがた》を見せてしまった。でも、そんなことより、「ボールを打てなかった」――ただ、そのことが悔《くや》しくてならなかった。

「ありがとうございました!!」

俺は、青葉の監督やＩ軍の選手たちに頭を下げた。そして、佐野に向かって、もっと深々と頭を下げた。

悔しかった。青葉の選手に打てて自分に打てないことが……。悔しくて悔しくて、泣きたくなった。恥《は》ずかしかった。さっき、佐野に向かって、あんなにも偉《えら》そうなことを言ったことが。しかも、小野寺の前で……。俺は、顔を見られることが嫌で、頭を下げるしかなかった。練習ですら、こんなに悔やしいんだから、試合で負けたら、耐《た》えられないかもしれない。必ず夏の大会でリベンジをしよう。今日、ここで悔しい思いをしたことは絶対にムダにしない――。

そう考えると、気合いが入ってきた。いてもたってもいられなくなった。このまま走って墨谷二中まで戻《もど》りたいと思った。

〈小野寺舞〉

「小野寺、ゴメン！　俺、先に帰らせてもらうわ」

そう言って丸井くんが駆《か》け出《だ》していく。よっぽど悔《くや》しかったのだろう。それに恥《は》ずかしい、という気持ちもあるのかもしれない。丸井くんがわたしのことをどう思っているかわからないが、一緒に偵察《ていさつ》に行った女子の前で、いいカッコできなかったのだから。

わたしはゆっくりと歩き、青葉学院の校門をくぐる。

単純で真《ま》っ直《す》ぐなのが丸井くんの魅力《みりょく》だ。青葉学院の練習を見て、いてもたってもいられなくなっただけかもしれない。

でも、わたしは、「ふぅ」と大きなため息をついた。

本当の目的を果たすことができなかったからだ。わたしは今日、とても大切なことを丸井くんに伝えるつもりでいた。

わたしは夏休みに、家族とともに九州に引っ越す。お父さんの仕事の関係のためだ。だから墨谷二中とは一学期でお別れ。わたしは、丸井くんにそのことを話すつもりだった。

「まぁ、いいか」

空を見上げて、わたしはつぶやく。

どのみち一学期の最後の日には、先生がクラスで発表する。それに何人かの女子の友だちには転校のことは話してある。いちおう口止めはしてあるけど、ひょっとすると丸井くんの耳にも届くかもしれない。

そもそも、なんで、男子の中で、丸井くんにだけは話しておきたいと思ったのかが、自分でもよくわからない。一生懸命《いっしょうけんめい》な丸井くんを応援《おうえん》してあげたいと思うけれど、それは「好《す》き」というう気持ちなんだろうか。

「新聞部魂《しんぶんぶだましい》よ！」

自分の気持ちを否定《ひてい》するようにつぶやいて、わたしはバス停《てい》に向かう。

バス停に丸井くんの姿はなかった。一つ前のバスに乗ってしまったのだろうか。

引っ越しをするのは八月の半ば。夏の地区大会のスケジュールはまだわからないけれど、最後まで、できるかぎり野球部を追いかけていきたい、と思った。

〈丸井〉


「そんなに青葉はすごかったんですか!?」

イガラシの目がキラキラと輝いている。

俺は、学校に着くなり、加藤とイガラシを部室に引っ張り込んで、偵察《ていさつ》してきた青葉学院の様子を詳《くわ》しく聞かせた。

「すごいのはわかったけど、だからどうするって話だよな」

加藤がため息をついて言った。

「いや、だからもっと練習をしなきゃ、って話だ。俺たちには室内練習場もピッチングマシンもないんだからさ。なんとか工夫して、絶対に青葉に勝ってやろうぜ!」

「そうです。まだ時間はあります。まずは夏合宿《なつがっしゅく》の計画を組み直しましょう」

そう言ってイガラシは、カバンから合宿の計画書を引っ張り出すと、それを机の上に広げた。

これは俺たち三人が、去年の夏合宿の内容を参考に練《ね》り上《あ》げたものだ。

「でも、どこをどう変えるんだ? 俺とお前と加藤で、かなりハードに作ったんだぞ」

「まだ空《あ》いている時間はたくさんあります。まず、早朝と夜です」

そう言うと、イガラシは練習の時間割にバッサリと大きなバツ印を入れた。

「この計画では、早朝と夜がガラ空きです。まず起床《きしょう》は、朝の5時にしましょう。そして夜も、夕食以降は何も予定を入れていません。俺たちは体育館で寝《ね》るんです。あそこなら、いろいろなトレーニングができるはずです」

昼間は、夏の日差《ひざ》しの中で、一日中みっちり練習をする。だから、夕食の後はなるべく体を休めよう。それが最初の計画だった。早朝も同じだ。一日中練習をするのだから、なにもそんなに朝早くから始めなくてもいい。予定では朝の7時に起きて、8時から練習を始めることにしていた。

「朝、涼《すず》しいうちに徹底的《てっていてき》に走り込みます。長距離《ちょうきょり》からダッシュ、ベースランニング。やることはいくらでもあります。で、夜は筋《きん》トレと素振《すぶ》りです。いや、ただバットを振るだけじゃダメだな。やっぱり工夫をしないと。俺、いろいろ考えてきますよ。アイデアならありますから。それで昼間は、通常の練習をたっぷりやりましょう。走ったり、基礎トレなんかに使うはずだった時間を、全部野球の練習にあてるんです。打って、守って、投げて。それだけでかなり違ってくるはずです」

加藤と顔を見合わせた。たしかにハードだ。でも、やってできないことはない。

「うん、そうだな。きついけど、それでいってみるか」

加藤がそう言ってくれた。

「いや、それだけではありません」

イガラシがケロリとした顔で言った。

「合宿の期間が5日間というのは短すぎです。丸井さん、10日間になるように交渉《こうしょう》できませんか?」

「はぁ? そんなこと無理だろ?」

「無理かどうかは、やってみなくちゃわかりません。丸井さん、とにかく月曜日になったら、まずは杉田先生と話をしてみてください」

なんなんだ、こいつ。先輩《せんぱい》をなんだと思ってるんだ。そう思ったものの、イガラシの真剣《しんけん》な目を見ると、とてもじゃないが言い返せない。

「……わかった。ダメもとでやってみるよ」

「ありがとうございます。でも、まだあります。練習試合を組んでください。それも、なるべくたくさん。毎週末、土曜と日曜は全部試合をするくらいでいいです。実戦の中で、俺たちの弱いところを洗い出したいんです」

加藤と顔を見合わせ笑《わら》い出《だ》した。もうヤケだ。なんでもやってやろう。

「わかった。よし、ちょっといろいろあたってみるわ。どうせなら、その練習試合、全勝を目指そうぜ」

「はい。練習試合とはいえ、勝つことは大事です。勝ちグセをつけ、勝つコツみたいなものを知る絶好《ぜっこう》の機会になると思います」

よし、やるか！　あの青葉を倒して全国を目指す以上、普通のやり方じゃダメに決まっているんだから。

全国大会出場、そして日本一。ばくぜんとした夢でしかなかったものが、今はっきりと俺には見えている。あとは全力で駆《か》け抜《ぬ》けるだけ。絶対に日本一になれるはずだ。夏合宿に練習試合、そして夏の大会。

自分たちを信じて、全力でぶつかっていこう。

5th

イニング

〈丸井〉


夏休みに入り、いよいよ合宿が始まった。

期間は7日間。最初の予定から2日間増えたことになる。

「まぁ、丸井君、ケガには気をつけて、よろしく頼むよ」

顧問《こもん》の杉田先生がニコニコと笑いながら言った。

「先生、ムリ言って、本当にすいませんでした。でも、おかげで、一週間の合宿ができることになりました」

「なに、かまわないよ。僕《ぼく》にできることは、それくらいだから。君たちのやる気を応援《おうえん》したいからね。でも、『絶対に全国大会に出場してみせます！』って、丸井君が校長に言い切ったときは、驚《おどろ》いたなぁ」

俺は、苦笑いした。

いくら俺たちにやる気があって、しかも顧問《こもん》の先生が認《みと》めてくれたからといっても、そんな簡単に合宿期間の延長《えんちょう》が認められたわけではなかった。

俺は、最後は校長室にまで乗り込んでいった。

「お願いです！　俺たちは全国大会に行きたいんです！　いや、行きます！　全国大会に出場するためには、絶対に合宿の延長が必要なんです」

今にして思えば、メチャクチャな理屈《りくつ》だ。でも、なんとか延長を認めてもらった。ただ、原則は5日間。延びた2日間への参加は自由で、「強制はしない」というのが学校側との約束だった。

「がんばります。俺たち、絶対に約束を守ります。先生、本当にありがとうございました！」

「よーし、お前ら気合いを入れろ！　絶対、ついてこいよ！　この合宿を乗《の》り越《こ》えたら、俺たちは絶対に強くなるぞ！」

最初のあいさつで、俺はみんなに気合いを入れた。

青葉を倒して全国大会に出る。そんなムチャな目標を掲《かか》げる以上、普通に練習をしていては絶対にダメだ。去年の合宿、いや、それ以上のことをやるぞとみんなに宣言した。

墨谷の武器は、堅《かた》い守備《しゅび》だ。まずは、守備練習から始めた。

一人ひとりノックをしていては効率《こうりつ》が悪い。俺とイガラシと加藤の三人が、それぞれバットを持ち、3つに分けたグループを相手にビシビシとノックをする。

もちろん去年と同じように、距離《きょり》をグッと近づけた。およそ10メートル。普通の約半分くらいの距離だ。「怖《こわ》い」と感じる者には、キャッチャーマスクやプロテクターをつけさせた。

「ほらぁ！　ビビるな！　体で止めてでも、後ろにそらすな！」

「お前、やる気あんのか！」

「まだ全力を出してないだろ!?　気合いを見せろ！」

学年に関係なく、厳《きび》しい練習を課した。1年生だからといって容赦《ようしゃ》はしない。それが墨谷の野球だ。青葉学院のようなすごい設備のない俺たちには、厳しい練習をする以外に強くなる方法はない。

ところが……。

近藤だけは、どうも緊張感《きんちょうかん》が足りない。厳しい球がくると、ヒラリと体をかわしてよけてしまう。

「近藤！　逃げるな！」

「いや、でも、危《あぶ》ないですから！」

「危なくない！　そのためにプロテクターをつけてんだろ！　ボールから目をそらすな！」

「けど、怖いものは、怖いですって」

　やれやれ、とため息が出る。

　春の大会で、自らのエラーが原因で試合に負けて以来、近藤はずいぶんまじめに守備の練習に取り組むようになった。イガラシの指導もあって、近藤の守備は、それなりのレベルにまで成長した。でも、「それなり」じゃダメだ。青葉を倒し、全国大会に出場するためには、もっと上のレベルにまでいく必要があった。

　近藤を、どうやってそこまで引っ張り上げるか。それが、この合宿での課題の一つだ。

　守備の練習を終え、バッティングの練習に移った。いきなりフリーバッティングから始めることにした。ティーバッティングや素振《すぶ》りは、夜、体育館でもできる。広いグラウンドが必要な練習を、昼間のうちにやるのが、俺と加藤とイガラシで立てた練習の方針だった。

　それなのに……。

「丸井さん、カンベンしてくださいよ。なんで、ボクだけこんな怖《こわ》い思いをせなあかんのですか?」

近藤がまた泣きを入れた。

俺は、近藤にバッティングピッチャーをやるように命じ、バッターには3メートルほど近づいて立つように言った。ところが、近すぎてピッチャー返しが怖いと近藤が言い出したのだ。勘弁《かんべん》してくれと言いたいのはこっちだ。なんとか説得《せっとく》したいが、こうなると近藤は頑固《がんこ》だ。一人のせいで、みんなの練習が止まってしまうのが許せなかった。

〈近藤〉

「おい近藤、この前まで、『ボクの球は打てませんよ!』なんて威張《いば》ってただろ? つべこべ言わずに投げればいいんだよ!」

丸井さんの声が、どんどん大きくなってくる。

「イガラシさんや丸井さんは、ボクが投げた球をカンタンに打ち返すじゃないですか。絶対に危《あぶ》ないですから!」

怖いものは怖い。ケガをするのはイヤや。

「ダメだ! とにかく投げろっての!」

とうとう、丸井さんが怒《おこ》り出《だ》した。

怒っている丸井さんとピッチャー返し。どちらも怖いが、どっちがより怖いかといったら、ピッチャー返しや。だって、丸井さんはいつも怒ってるから、だんだんと慣《な》れてきた。でも、ピッチャー返しは、当たれば痛《いた》い。しかも、3メートルも近いところからなんて、ありえへん。しかたがない。最後の手段を使おう。

「あの……すんません。なんかフラフラして。暑すぎるからかなぁ。なんかめまいがするみたいで……休んでもいいですか?」

「ダメだ! ウソをつくな!」

なんで信じてくれへんの? まあ、実際、ウソついてるんやけど……。

そのとき、見たことがない大人の人と、高校生くらいの人がグラウンドに現《あらわ》れた。二人はピッチングネットみたいのをゴロゴロと引っ張っている。

「谷口さ――――ん!」

丸井さんが大声をあげて走り出した。

いや、丸井さんだけじゃない。イガラシさんや、他の3年生や2年生の人たちも、いっせいにその人たちのところへ走っていく。

ボクたち1年生だけがキョトンとしている。でも、きっと卒業した野球部の人たちやろなと想像した。先輩たちについて、「谷口さん」と呼ばれた人のところへ行ってみることにした。


「谷口さん、あの……指のケガは?」

丸井さんの声が、珍《めずら》しく遠慮《えんりょ》がちだった。

「丸井、もう大丈夫《だいじょうぶ》だよ。ありがとう。それより、これ、父さんに頼《たの》んで作ってもらったんだ。よかったら使ってみて」

丸井さんが、ものすごく嬉《うれ》しそうに見える。

「これ、ピッチングネットですよね! ありがとうございます!」

「うん。去年の合宿のとき、こういうのがあればいいなって思ったから。本当はもっと早く作ってもらえばよかったんだけど、僕も高校でいろいろあって……。それでこんなに遅《おそ》くなっちゃったんだ。ごめん」

「なんで謝《あやま》るんですか！　ありがとうございます！」

丸井さんが頭を下げた。そして、谷口さんの後ろに立つ大人の人に向かって、もう一度頭を下げた。

「あの……谷口さんのお父さん、本当にありがとうございます！　こんな素晴《すば》らしいものを作っていただいて！」

「いやいや、こんなのは、ちょいちょいって、カンタンに作れるから」

そう言って谷口さんのお父さんは笑った。

OBの人が、ボクたちの野球部にピッチングネットをプレゼントしてくれたらしい。

ボクはピッチングネットをながめる。

鉄パイプで作った大きな正方形の、左上の四分の一が四角く欠けている。そこからボールを投げるわけか。他の部分には、ネットが張ってあるから、ピッチャー返しがきても大丈夫と。

これ……メッチャええやん！

しかも、下に車輪がついていて移動も楽やし、なんて素晴らしいモノをOBさんは作ってくれたんや！

「谷口さんっていうんですか？　これ、いいですねぇ！　でも、もっと早くにいただけたら、もっと嬉《うれ》しかったです！」

谷口さんは、苦笑《にがわら》いしてる。

「てめぇ、谷口さんに、なに言ってんだ!?」

丸井さんに怒《おこ》られてしまった。なんでお礼を言っただけやのに、ボク、怒られなアカンの？


〈丸井〉

「みんな、本当にがんばってるね。去年の僕たちよりも、今の君たちのほうが、だんぜんレベルは高い。でも、もっと強くなれるはずだよ。一生懸命練習して、夏の大会ではがんばってください」

嫌《いや》がる谷口さんに頼んで、なんとかあいさつをしてもらった。

少し恥《は》ずかしそうな、ちょっと困《こま》った感じの話し方がなつかしい。でも、みんなは静かに谷口さんの話に聞き入っている。

「丸井、じゃあ僕はこれで。実は、午後から……野球部の練習があるんだ」

「えっ？　じゃあ、谷口さん、また野球を？」

「うん。丸井にも心配をかけたね」

そう言って谷口さんはニッコリと笑った。

――谷口さんが、また野球に戻《もど》ってくる。

俺の胸《むね》に熱いものがこみ上げてきた。俺たちも絶対にあきらめない。

「谷口さんも、がんばってください！　ありがとうございました！」

頭を下げて、谷口さんとお父さんを見送った。

墨谷には、プロ野球選手のＯＢなんていないし、室内練習場があるわけでもない。でも、谷口さんのような素晴《すば》らしい先輩《せんぱい》がいて、その先輩から引《ひ》き継《つ》いだ魂《たましい》がある。これで不満なんか言ったらバチがあたる。

俺は、近藤のほうを振り向いて言った。

「近藤！　俺がなにを言いたいか、わかるな？」

俺は、近藤にも、墨谷野球部の魂が伝わってほしいと、強く願った。

「ハイ！」

近藤から、力強い返事が返ってきた。

よし、谷口さんがくれたネットのおかげで、俺たちは近藤の速球を近くから打つ練習ができる。そして同時に、近藤にとってはピッチャー返しに対する恐怖心を取《と》り除《のぞ》くトレーニングにもなる。このネットがあれば、絶対にケガをすることはないのだから。少しずつ打球に目を慣らしていけばいい。

これですべてがうまくいく。合宿の成功は、約束されたようなものだと思った。


〈イガラシ〉

「よーし、ここからは、みんな、イガラシの指示に従《したが》ってくれ!」

丸井さんが、そう野球部のみんなに声をかけてくれた。

2年生の俺に練習のしきりを任せてくれるなんて。そんな判断は、丸井さんだからこそできることだ。丸井さんはキャプテンとして成長したと思う。

夕食を終え、体育館での練習。まずは丸井さんの指示のもと、筋《きん》トレや柔軟《じゅうなん》などの、基礎《きそ》トレーニングをみっちりとやった。

そして、ここからが俺の出番だ。

「まず、二人一組になってください!」

3年生もいるので、言葉づかいには気をつかう。

「このバドミントンのシャトルを、ボールの代わりにして、バッティング練習をします」

そう言って俺は、段ボールにいっぱい詰《つ》まったバドミントンのシャトルをみんなに見せた。

ほとんどが、バドミントン部からもらった使えなくなった古いシャトルだが、それでも足りない分は部費で買った。

「一人が投げて、もう一人が打つ。これだけです。ただ、バドミントンのシャトルは、確実に芯《しん》に当てなければ、ちゃんと飛ばないので、きっちりとミートを心がけてください」

小さなシャトルの先端《せんたん》を、ちゃんと芯でとらえて打つ。これがポイントだ。しかもシャトルだから、野球のボールほど飛ぶわけではないし、人に当たったとしても、それほど危険ということもない。俺自身、弟を相手に、最近は家でもやっている練習法だ。

「投げるコースをずっと一定にして、内角低めなら、ずっと内角低めに投げる。距離が近ければ、簡単にできると思います。打者は、しっかり腕《うで》をたたんで、ボールを運ぶ感覚を身につけるようにしてください」

距離《きょり》が近いから、投げるコースをコントロールしやすい。これもバドミントンのシャトルを使うメリットだ。効率よく、自分の苦手なコースを克服《こくふく》できる。

昼の、投手と至近距離《しきんきょり》でのフリーバッティングでスピードに目を慣《な》らし、夜のこの特訓《とっくん》で苦手なコースの打ち方を学ぶ。青葉学院のようなすごい設備がなくても、工夫しだいでいくらでも練習することはできる。

「あの丸井さん、ボク、内角苦手なんで、外角をお願いしますよ」

丸井さんとペアを組んだ近藤が、そんなバカな要求をしている。

「逆だろ、バカ！　苦手を練習しなきゃ意味ないだろ。お前はずっと内角だ！」

丸井さんに怒られ、近藤は肩《かた》をすぼめている。

なんだかんだいっても、丸井さんと近藤はいいコンビだ。丸井さんが感情を抑《おさ》えるのは、キャプテンなんだからしょうがないとは思うが、ときどき窮屈《きゅうくつ》そうにも見える。でも、近藤に対しては、わりと素《す》の感情で接《せっ》しているようだ。そして、すぐに感情的になってしまう丸井さんに怒られても畏縮《いしゅく》しないでいる1年生は、近藤だけなのだ。

体育館全体を見渡す。みんなが気合いの入った、とてもいい練習をしている。

今日はまだ初日だが、この合宿を通して、みんながどれほど進歩するのか。俺は、それが楽しみでならない。

「それにしても暑いですね。こんな中で練習するって、野球部はすごいですね」

そういいながら後輩の祥子《しょうこ》ちゃんが、水筒《すいとう》に直接口をあて、ゴクゴクと飲んだ。そして、水筒のふたにドリンクを注いで、わたしにも差し出してくれる。

「舞センパイも飲みませんか？　メッチャ冷たいですよ」

「ありがと」

カップを受け取って、ノドをうるおす。よく冷えた紅茶だった。砂糖《さとう》が入っているらしく、ほんのり甘《あま》くて、本当においしい。

「まぁ、すごいって言うか、すごいを越えてますよね。わたしからすると、こんな暑い中で、わざわざ走り回って汗《あせ》かくなんて、ありえないですから」

わたしたちの座《すわ》っているベンチは、そばに大きな木があるおかげで、日陰《ひかげ》の中にある。それでも、信じられないほどに暑い。ギラギラした太陽の下で走り回っている野球部は、どれだけの暑さを感じているのだろう。

「わたしたちも、こんな暑い中、野球部の合宿を見てるんだから、同じようなもんだけどね」

「いや、それは理解できます」

「なんで?」

「だって、舞センパイが、丸井さんのことを気になってるからです」

そう言って、祥子ちゃんはニコリと笑った。

「丸井さんには、ちゃんと言ったんですか?」

「うん……まぁ、いちおう」

わたしは、あいまいに答える。

一学期の最後の日、担任がわたしの転校のことを発表した。

クラスのほとんどの人たちは知らなかったから、「えー!」なんて言って、驚《おどろ》いていた。もちろん丸井くんもそれなりに驚いていたけど、それは思っていたよりも、ずっとアッサリとした反応だった。

「小野寺、九州に行くんだ?」「うん、そうなんだ」「いつ行くんだよ?　なんで教えてくれなかったんだ?」「まだハッキリしてなかったから。でも、八月の中旬《ちゅうじゅん》くらい」みたいな感じで、ほとんど雑談《ざつだん》みたいに話して終わってしまった。

わたしのほうから「野球部の夏合宿や、地区大会の試合はなるべく観《み》に行くからさ」なんて言ったから、丸井くんにはあまり実感として伝わっていないのかもしれないし、今の丸井くんは、野球のことで頭がいっぱいなのかもしれない。

「なんにも言えないまま、お別れになっちゃいますよ」

丸井くんとのやりとりをわたしが思い出していると、祥子ちゃんが、それをさえぎるように声をかけてきた。

「そうだね」

わたしは素直に答える。やっぱり、どこかでちゃんと、丸井くんに話しておきたい。

わたしはグラウンドに目をやり、野球部の練習を見る。それにしてもキツそうな練習だ。でも、みんな大きな声を出し、積極的に取り組んでいる。1年生たちがちょっとつらそうに見えるけど、2、3年生たちは、むしろ練習を楽しんでいるようだ。

〈丸井〉


１年の曽根《そね》が泣《な》いている。

どうしたんだ？　どうして泣いているんだ？

午前中の守備練習。いつものように３つのグループに分け、それぞれのグループで俺と加藤とイガラシが、後輩たちを相手にノックをしていた。

曽根は、俺のグループだった。ところが、急にボールを追わなくなったので、どうしたのかと思ったら、曽根は突《つ》っ立《た》ったまま泣いていたのだ。

「おい丸井、曽根は大丈夫《だいじょうぶ》か？」

加藤が声をかけてきた。

「体調が悪いのかもしれない。休ませたほうがいいぞ」

俺は空を見上げた。合宿は、今日で４日目。毎日が猛烈《もうれつ》な暑さだ。猛特訓《もうとっくん》に慣《な》れている俺ですら、疲《つか》れがたまっているくらいだ。１年の曽根にはキツすぎたかもしれない。

「おい曽根、大丈夫か？」

バットを置き、曽根のところに駆《か》け寄《よ》った。

曽根は答えない。ただ泣き続けているだけだ。

「泣いてたってわかんねぇよ。調子が悪いのか？」

曽根がうなずいた。

「だったらそう言えって」

曽根は返事をせずに、泣いているだけ。もう中学生なんだから、自分の体調のことくらい、自分で説明してほしい。

「とりあえず部室に戻って休め」

小さくうなずいて、曽根がトボトボと歩き出した。

はじめは、ボールが取れず、悔《くや》しくて泣いているのかと思った。俺だったら、泣く理由はそれくらいだからだ。しかし……。

はあぁ、とため息が出た。さすがに、ちょっと厳《きび》しすぎたのかもしれない。近藤以外の１年は、次の大会で試合に出ることはない。でも、だからといって、ラクをさせるのは間違っている。墨谷野球部は、厳しい練習を通して、成長していくのだから。

まぁ、少し休めば、すぐに回復するだろう。そのときの俺は、そんな風に考えていた。

夕食が終わると、曽根が、「家に帰らなくてはいけない」と言い出した。

田舎《いなか》のおばあちゃんの体調が悪く、家族で病院に行くため、今日のうちに帰る必要があるのだという。

ウソだと思った。合宿がキツいから家に帰りたいだけだろう。だけど、今にも泣きそうな曽根の顔を見ると、「ウソをつくな」と怒《おこ》ることはできなかった。

「どう思う?」

俺は、加藤とイガラシに相談することにした。

「まぁ、ウソだろうな」

加藤が答えた。

「俺もそう思う」

「あいつ、つらそうだったからな。ウソをつく気持ちもわかるような気がするな」

「じゃあ、一年には、少し軽めの練習をやらせるか?」

「それは違うんじゃないですか。脱落者《だつらくしゃ》が出ることは想定内だったはずですけど」

イガラシが口をはさんできた。

その通りだった。夏合宿のプランを練《ね》り直《なお》したとき、あまりにも練習内容がハードだったので、ついてこれない奴《やつ》が出るかもしれないと俺は心配した。

それに対し、キッパリとイガラシがこう返してきた。

「大きな夢を勝ち取るには、それなりの犠牲《ぎせい》を覚悟《かくご》すべきだと思います」

イガラシらしいシビアな意見だった。少しの間、俺と加藤とイガラシで議論になった。

でも最終的に、「たとえ、脱落者が出たとしても、厳しい練習でいこう」と結論を出した。

全国大会に出場するためだ。普通の練習では、あの青葉に勝つことはできない。

でも……

実際に脱落者が出そうになると、俺の心は揺《ゆ》れた。本当にこれでいいのか？　もし曽根が野球部をやめると言い出したら、どうする？　河野のように、止《と》めるのか？　止めるべきなのか？

「丸井、ここでぶれたらダメだ。最初の予定通り、厳しくいこう」

俺の迷《まよ》いに気がついたのか、加藤が、励《はげ》ますように言ってくれた。

「……うん、そうだな。そうしよう」

中途半端《ちゅうとはんぱ》は一番ダメだ。俺は、そう自分に言い聞かせた。


「じゃあな、気をつけて帰れよ」

荷物を持って帰る曽根を、体育館の出口まで見送ることにした。

「……どうも、すいません」

「いいんだよ、気にすんな。だっておばあちゃんの病院に行くんだろ？」

「……はい」

曽根の声が小さい。

余計なことを言ってしまった。病院に行くなんて言い訳《いわけ》は、曽根自身だって不自然だと感じているはずだ。嫌味《いやみ》を言われたと思ったかもしれない。

もうこれ以上、なにも言わないでおくべきだ。黙って見送り、また曽根が練習に戻《もど》ってくるのを待とう。

「それじゃあ失礼します」

「あぁ、じゃあな」

　曽根が歩き出した。

　黙《だま》って見送ろうと決めたのに、トボトボと帰る曽根の後姿《うしろすがた》を見て、俺は胸《むね》がいっぱいになった。

「なぁ曽根、必ず練習に戻《もど》ってこいよ。待ってるからな。絶対にやめないでくれよ!」

　かえって逆効果《ぎゃくこうか》になるかもしれなかった。でも、言わずにはいられなかった。やっぱり、俺はバカだ。


　曽根が振り返り、ほんの少し笑顔になった。

　俺は、その笑顔を信じたいと思った。


　体育館の中に戻《もど》って、みんなの顔を見回す。

　みんな疲《つか》れた顔をしている。特に1年生たちは、床《ゆか》に敷《し》いた布団《ふとん》に寝転《ねころ》んでグッタリとしている。話をしている奴《やつ》なんて一人もいない。

空気が重く、笑顔《えがお》がどこにもない。イヤな予感がする。曽根以外にも、脱落者《だつらくしゃ》が出てしまうかもしれない。こういうときこそ、キャプテンとして、何かをしなくてはいけない。しかし、何をしていいかわからない。

「よし！　俺がマッサージしてやる！」

俺は、そう一年たちに声をかけた。

だが、誰からも返事がない。キョトンとしている。俺の言葉の意味がわからないようだ。

「マッサージ、わかるだろ？」

そう言って俺は、肩《かた》をもむポーズを見せた。

「けっこううまいんだぞ。絶対に体が楽になるから、遠慮《えんりょ》するなよ。早い者勝ちだ。マッサージしてほしい奴は、手を挙げろ！」

そう言って俺は、一年たちに近づく。しかし、誰も手を挙げない。それどころか、みんな苦笑《にがわら》いして、リアクションに困《こま》っている様子だ。

さて、どうする？

こんなときは、あいつしかない。俺は近藤に向き直った。

「おい、近藤、マッサージしてやるよ。今日の投げ込み、たいへんだったろ？　体をほぐしといたほうがいいぞ」

「イヤ、けっこうですから」

近藤はキッパリと言って、ゴロリと背中《せなか》を向けた。

なんだよ、人がせっかく言ってやってるのに……。ちょっと意地《いじ》になった。

「そう言うなよ。部員の体調を管理するのも、キャプテンの務《つと》めなんだからさ」

そう言って俺は、問答無用《もんどうむよう》で近藤の右肩《みぎかた》をもみ始めた。

すると、近藤は、もだえるように体をくねらせ、ひきつったような笑い声を上げながら逃《に》げ出《だ》そうとした。

「ま、丸井さん、くすぐったいですって！　全然、マッサージ、うまくないじゃないですか。もうええです」

そう言われると、逆《ぎゃく》にやる気がわいてくる。俺は、近藤の右肩《みぎかた》に手を伸《の》ばし、逃げられないように押さえつけた。

それでも近藤は、俺の手を振《ふ》り払《はら》うようにして立ち上がり、逃げ出した。

俺は、しつこく近藤のあとを追う。体育館の中で、追いかけっこが始まった。

「おい、近藤、待てってて！」

「カンベンしてくださいよぉ！」

さっきまで、あんなにグッタリしていたのがウソのように、近藤は全力で逃げ回っている。

「素直《すなお》にマッサージを受けろ！　疲《つか》れが取れるんだから！」

そう言って俺は、大声を出したり、つまずいて転んだりしながらも、近藤を追い回した。

「イヤ、逆に疲れますから！　なんで、練習が終わったのに、こんなに走らなあかんのですか？」

近藤が半泣《はんな》きになって言った。

その瞬間《しゅんかん》、ブハッ、という笑い声が聞こえた。見ると、1年の牧野《まきの》が、俺たちを見て笑っていた。いや、牧野だけじゃない。全員が俺たちを見て笑っている。

「あの、ホンマにカンベンしてください！　明日、メッチャ練習がんばりますから」

マッサージでみんなをリラックスさせるつもりだったけど、みんなが笑って、明るい気持ちになってくれたなら、よかった。

明日も練習がんばろうな。みんなの笑顔を見ながら、俺は心の中で声をかけた。

合宿の5日目が終了《しゅうりょう》した。本当だったら、今日で合宿は終わりだけど、学校側と交渉《こうしょう》したので、あと2日間ほど練習ができる。

そして、この日をもって、近藤をのぞいて、1年生の全員が帰宅することになった。もともと、あとから追加した2日間は自由参加ということにしてある。だから、何人かは帰ってしまうかもしれないと覚悟《かくご》していた。でも、近藤以外の全員が帰ってしまうなんて、想像もしていなかった。昨夜のマッサージ騒動《そうどう》で、一瞬、明るい雰囲気《ふんいき》になったが、離脱《りだつ》を食い止めるまでには至《いた》らなかったようだ。俺は改めて、キャプテンとしての自分の力不足に泣きそうになった。

「丸井、落ち込むなよ。今は落ち込んでいる場合じゃない。合宿に集中しよう」

加藤が声をかけてくれた。加藤のサポートがなかったら、俺は自分が間違っているのかと落ち込み、練習に身が入らなくなってしまったかもしれない。

体育館の出口まで1年生たちを見送りに行くことにした。

みんなの元気がない。やはり、「逃げ出していく」という、うしろめたい気持ちがあるのかもしれない。でも、それは違う。俺たちが異常《いじょう》なんだ。青葉に勝って優勝するために、ありえないほどの練習量をこなしている俺たちがおかしいんだ。うしろめたい気持ちを抱《いだ》かせてしまった責任は俺にある。合宿の延長と引《ひ》き換《か》えに、こんなことが起こるなんて、考えてもいなかったのだから。

「しあさってから、また普通の練習が始まるから、ちゃんと学校に来いよ」

「はい」

牧野だけが小さな声で返事をしてくれた。

1年生が帰ることで、一つだけよかったなと思えることがある。

それは、昨日《きのう》、一足《ひとあし》先に帰った曽根のことだ。

もし、帰ったのが一人だけだったとしたら、曽根は「自分は弱い」と思い込んでしまうかもしれない。でも、自分だけじゃなかった、次の日にはみんなも帰ったんだとわかれば、少しは気がラクになるだろう。

「なぁ、曽根にも、しあさってからの練習のこと、ちゃんと連絡しといてくれよ?」

牧野に、そう声をかけた。

「はい、もちろんです。それでは失礼します」

1年生たちが帰っていく。

ひょっとすると、校門を出たあたりで、「やってらんねぇよな」なんて、グチや悪口で盛り上がってるかもしれない。いや、むしろ、そうあってほしい。曽根も誘《さそ》って、みんなで野球部への不満をぶちまけ、それでまた、スッキリとした気持ちで練習に戻《もど》ってきてくれるなら。

今の俺には、たくさんのことを考える余裕《よゆう》がない。夏の大会を勝ち抜き、青葉学院に勝って全国大会に出場する。それしか考えることができない。

ふと気がつくと、近藤が俺の隣《となり》にいた。一緒に帰っていく仲間たちの姿《すがた》を見送っている。

「なぁ近藤、お前は帰らないのか？」

「ボクは帰りませんよ」

近藤は、そう言うと俺の顔を見てニコリと笑った。

「ボク、日に日に野球がうまくなってるなって、実感してますから。メッチャ楽しいですよ」

そうか。近藤は楽しいのか。それが聞けてよかった。ちょっと救われた気がする。

「近藤、同じ1年として、あいつらのフォローを頼むな」

「ハイ、まかしといてください!」

近藤は、あくまでニコニコとしている。

なんか近藤がいい奴に見える。俺って単純だな。たったこれだけのことで近藤を頼《たの》もしく感じてしまう。

「ありがとな」

そんな言葉が自然と出てきた。この俺が、近藤に礼を言うなんて。そう考えると、ちょっとおかしくて、俺はクスリと笑ってしまった。


合宿の最終日。朝になり、俺は、自然に目が覚《さ》めた。

上半身を起こし、あたりを見回す。目覚ましが鳴ってないから、まだ5時にはなっていないはずだ。体育館の窓《まど》から、朝日が差《さ》し込《こ》んでいる。

1年生たちが帰ってしまったせいで、なんだか驚《おどろ》くほど体育館を広く感じる。

「おはようございます」

イガラシの声がした。見ると、上半身を起こし、俺を見ているイガラシの姿《すがた》があった。

「おう、起きてたのか？」

「はい」

「俺も起きてるぞ」

加藤も体を起こした。

いや、加藤だけじゃなかった。島田も河野も、そして近藤までもが目を覚まし、上半身を起こした。

みんなの顔が晴《は》れやかだった。厳《きび》しい合宿も、最終日を迎《むか》えたという満足感が表れていた。

「今日で合宿も最後だな」

加藤が静かに言った。

「ああ」

俺も静かに答える。

「しんどかったですねぇ」

近藤が笑いながら言った。

「ボクら、どこまで勝てますか？」

「一番上だよ。当たり前だろ!?　こんなにバカみたいに野球やってるのって、日本で俺たちだけだと思うぞ」

笑《わら》いながら、俺は答えた。誰にも負けないだけの練習をやったという自信があった。

「つまり優勝ってことだ」

イガラシが付け加えるように言った。

俺は、イガラシの顔を見る。イガラシの顔が、自信に満ちあふれていた。

不思議な感覚だ。穏《おだ》やかだけど気持ちがみなぎってくる。

前にも、こんな感覚を味わったことがあった。キャプテンになった初日だ。俺は、一人でグラウンド整備をしながら、昇《のぼ》ってきた太陽に向かってチームが強くなることを願ったんだ。

やるだけのことはやった。俺たちはやり切ったんだと胸を張って言える。

あとは全力を尽《つ》くして戦うのみだ。


いよいよ夏の地区大会が始まる——。

6th

イニング

地区大会が始まった。

俺たち3年にとっては最後の大会だ。今まで、このときのためにつらい練習にも耐《た》えてきた。

青葉学院は、俺たちとは違うブロックだった。つまり、青葉と戦うためには、決勝まで進まなければいけないし、その青葉に勝つということは、優勝することを意味していた。


俺たちは、1回戦、2回戦と順調に勝ち進んだ。そして、今日の3回戦も、10対0の大差でコールド勝ちを決めた。これでベスト4。次の試合は準決勝《じゅんけっしょう》だ。

「いやぁ、丸井さん、ボクら、ホンマに強いですね！　このまま優勝できるんじゃないですか？」

ロッカールームに戻《もど》る途中で、近藤が浮かれて声をかけてきた。

まったく、こいつは……。でも、その気持ちも、わからないでもない。

ここまでの3試合、俺たちはすべてコールド勝ちで試合を決めた。しかも相手には1点も与《あた》えていない。いや、それどころか、一本のヒットすら、俺たちは打たれていなかった。コールドゲームだから正式な記録にはならないけれど、3試合連続でノーヒットノーランというのは、なかなかできないことだと思う。

「丸井さん、無視せんといてくださいよ。もう優勝、決まりですよね！」

「浮かれるなっての！　ここからは、そう簡単にいかないんだよ！」

「そんなもんですかねぇ。曽根クン、ボクらのチーム、メッチャすごいよなぁ？」

そう言って近藤は、近くにいた曽根の背中をドンと叩《たた》いた。

曽根は、ちょっとビックリした顔で近藤を見て、笑顔《えがお》になった。

「うん……すごいよね、ウチの野球部」

「曽根クンはクールやなぁ！　こんなすごい野球部にいるんやから、もっと胸《むね》を張《は》ったらいいのに！」

そんなことを言いながら、近藤と曽根はじゃれ合うように向こうへと行ってしまった。

ありがとな、近藤。

心の中で近藤に礼《れい》を言った。

夏合宿で曽根は、練習の厳しさに音《ね》を上げて、途中で家に帰ってしまった。タテマエでは

「田舎のおばあちゃんの体調が悪いから」と言っていたが、それはウソだろうと俺は思っていた。曽根は野球部をやめてしまうかもしれない。それが、そのときの正直な気持ちだった。だから、合宿が終わって、いつもの練習に曽根がやってきたのを見て、俺は心の底からホッとした。

「曽根に、なんて声をかけよう」と考えていたら、俺より先に近藤がそれを実行してくれた。

「曽根クン、元気にしてたか？　ボク、曽根クンに会えてうれしいわ！」

なんだかウソくさいセリフも、近藤が言うと不自然に聞こえないから不思議だ。そして、曽根の顔に笑顔《えがお》が戻《もど》ってくるようになった。

近藤は、曽根だけでなく、他の1年にもよく声をかけるようになった。それまでは、かなりマイペースで、他人を小馬鹿《こばか》にするようなところがあったが、合宿が明けてからは、むしろ積極的にみんなの輪《わ》に加わるようになった。

がさつで無神経《むしんけい》なようでいて、近藤には、意外と細やかなところがあるのかもしれない。1年たちは、あきらかに以前よりも明るくなった。

近藤のおかげで、1年たちのことを心配しなくてすみ、夏の大会に集中することができる。とにかく助かる。

準決勝の江田川中戦が始まろうとしている。

先攻《せんこう》は、俺たち墨谷二中だ。

「スゲー、速いな」

隣《となり》にいる加藤があきれたように言った。

俺たちはベンチから、江田川中のエースである井口のピッチング練習を見ていた。

「ひょっとして、近藤よりも速いんじゃないか?」

「あぁ、たしかに」

でも大丈夫。俺たちには作戦があった。というより、すでに作戦は実行している。

「加藤、頼《たの》んだぞ。あと島田、お前もだ」

俺は、加藤と島田に声をかけた。

左利きである加藤と島田を、5番と6番の打順に並べた。

井口が左バッターを苦手にしているからだ。その情報を新聞部の小野寺から聞いた俺は、実際に江田川中の試合を見て、井口が、左バッターに対して投げにくそうにしているのを確認した。そして、加藤とイガラシに相談し、今日の打順を決定したのだ。

「プレイボール！」

審判が右手を挙《あ》げ、試合が始まった。

一番バッターの滝が右打席に立った。

ズバン！

ものすごい速球がうなりをあげ、キャッチャーミットに飛び込む。

速い。間違いなく、井口は、近藤よりも速い球を投げる。

「はぁー、すごいわ。あんなすごい球を投げる人が、他におるんですねぇ」

ベンチに座った近藤が感心したように言った。

「上には上がいるんだ。あの井口は2年だし、お前より速くても不思議じゃないだろ」

「なるほど、世間《せけん》は広いんですねぇ」

なんだか素直にうなずいている。

やっぱり近藤は変わった。入部当初は、4番やらエースを要求してくるほど自信満々で、どうすればいいかと手を焼いたものだが、今では、きちんとチームのことを考えられるようになった。

今日の先発メンバーを発表するとき、俺は少しだけ緊張《きんちょう》していた。近藤をベンチに下げ、ライトのポジションに島田を起用したからだ。春の大会以降、近藤はピッチャーかライトとしてずっと試合に出続けていた。

でも、近藤はなにも言わなかった。俺は、少し拍子《ひょうし》抜《ぬ》けした。

「でも、先輩たちは、ボクの球を3メートルも近くから打ってたんですから、あの井口さんの球も、余裕で打てますよ！」

ニコニコしながら近藤は言う。

うーん。あとは、この「へらず口」さえなんとかなれば、近藤は大きく化《ば》けるんじゃないかと思う……。

〈イガラシ〉


「イガラシ、思ったよりもずっと井口の球は速いぞ!」

ベンチを出るときに、丸井さんが声をかけてきた。

「はい、任せてください」

そう答えて、丸井さんの顔を見た。俺がヒットを打ったら、丸井さんはどんな表情をするだろう。そう考えたら、笑いがこみあげてきた。

試合は2回の表。0対0。1回の攻防は、お互いに一人のランナーも出すことができなかった。

俺はバットを手に、左バッターボックスに入った。

そして、墨谷のベンチを振り返る。みんなの驚《おどろ》いている顔が見えた。

そんな仲間の顔を見るのも楽しい。左打席に立つのは久しぶりだ。

「イガラシ、お前、左でも打てるの?」

丸井さんの驚いた表情を思い出す。

昨日、江田川の井口が左バッターを苦手にしていると聞いたとき、「じゃあ、俺も左で打ちますよ」と言ったら、ちょっとおおげさなくらい丸井さんは驚いていた。

俺は、右でも左でも打てる、スイッチヒッターだ。もちろん、もともとは右利《みぎき》きだから、右のほうが大きな当たりが出やすいし、右だけでも高い打率だから、ずっと左を使っていなかっただけのことだ。

2、3度素振《すぶ》りをしてから、マウンドの井口を見る。

よぉ、久しぶり。心の中で井口に声をかけた。小学生のころ、俺は井口と同じチームで野球をしていたことがある。今の井口については、丸井さん以上に情報を持っているわけではないから、特にそのことは言っていないが……。

井口はピッチャーとして、とてもいい素質を持っている。ただ、小学生のころは、コントロールが悪いのが弱点だった。もったいない。体も大きいし、球も速い。体が小さな俺からすると、井口はとても恵まれているように見えた。

あのころから比べれば、井口はだいぶコントロールがよくなった。ただし右バッター限定で。

この右バッターだけというのが、いかにも井口らしくておもしろい。それでも2年生ながらエースとして、準決勝まで勝ち上がってきたんだから、その力は相当なものなんだろう。でも悪いけど、今の井口でも、俺たちの相手にはならない。

ビュン！

全力の投球がきた。

俺は、のけぞってボールを避《よ》ける。

もちろんボール。でも、ものすごい剛速球《ごうそっきゅう》だった。

2球目はかなりスピードが落ちていた。でも、ギリギリでボール。

なるほど。左バッターに対してストライクを取ろうとすると、ここまでスピードを落とさないとダメということか。この球なら、5番の加藤さん、6番の島田さんには簡単に打てるだろう。そして、俺ならなおさらだ。

カーン！

気持ちよくレフト線に流し打ちを決めた。二塁打になった。

「ナイスバッティング！」

ベンチからみんなの声が聞こえた。

よし、いける。ここから二人ほど左バッターが続く。1点は確実だろう。


〈丸井〉


4回の表、墨谷の攻撃。

「丸井さん、なにがなんでも出塁してください!」

ネクストバッターズサークルに向かうとき、イガラシから、そう声をかけられた。

ノーアウトでランナーなし。今、2番の佐々木《ささき》が打席に立っている。試合は1対0。墨谷が1点だけリードしていた。

「やっぱり、右バッターが相手のときの井口を攻略《こうりゃく》するのは難しいです。でも、なんとか、俺たちの前にランナーをためておいてください」

「わかった。まかせておけ!」

イガラシの考えていることはわかる。

井口が左打者を苦手にしていることを知って、イガラシを含《ふく》めて、4、5、6番に左をそろえた。だから、その3人は出塁《しゅつるい》できたりもするが、その前後の打者が抑《おさ》えられてしまい、どうしても大量点に結びつかない。イガラシたちの前にランナーを出したい。つまり俺だ。3番の俺が、なにがなんでも出塁しなきゃダメだ。

佐々木が三振して、ワンアウトになった。さぁ行こう！　俺は自分に声をかけた。

そして、左打席に立ってバットを構える。今までとはグラウンドの景色《けしき》がぜんぜん違って見えた。井口のことを聞いたあと、試しに左打席に立ってみたけれど、付《つ》け焼《や》き刃《ば》で打てるわけがない、とわかっただけだった。試合で左に立つのは、当然、これが初めての経験だ。

〈井口〉

なんだこいつ？　こいつもスイッチヒッターなのか？

俺は、マウンドから墨谷の3番バッターをにらみつけた。こいつはさっき、右打席に立っていたはずだ。

「おい井口、落ち着け。ハッタリだから!」

キャッチャーの山上《やまがみ》さんが、わざわざマウンドまで走ってきてくれた。

「あの丸井ってのは右利《みぎき》きだ。間違いない。お前が左を苦手にしてるのを知って、やっているだけだ。フォアボールねらいだ。確実にストライクを取っていこう。どうせ、ろくにバットも振れないはずだ」

「はい」

ちくしょう、ふざけんなよ。

第1球。俺は全力で投球した。

大きく外れるボール。でも、俺の速球にビビッてやがる。

すべてを全力で投げていたら、本当にフォアボールになってしまう。向こう思うつぼだ。ストライクをきっちり取っていこう。

2球目を投げた。打者がバントの体勢《たいせい》になった。

ランナーもいないのに⁉　セーフティバントか！

俺は全力でダッシュした。バントは、ある意味、打つより難しい。だから、その可能性はあまり考えず油断した。ボールは一塁線に転がる。

ファーストも前進したが、俺が捕《と》った。体を回転して、ファーストに送球。が、ファーストのカバーに入るべきセカンドが遅《おく》れていた。

「セーフ！」

イガラシの前にランナーを出してしまった。いや、イガラシだけじゃない。ここから3人の左打者が連続してくる。腹立つなぁ、墨谷。せこい野球をしやがって。

4番のイガラシが左打席に立った。どうする？　フォアボール覚悟《かくご》で全力で投げるか。いや、ダメだ。それではランナーをためるだけだ。

イガラシが、余裕の表情でバットを構えている。小学生のころから、冷静で余裕《よゆう》があって、ちょっとムカつく奴《やつ》だったけど、今も変わらない。

〈イガラシ〉

「ありがとうございました！」

ホームベースを挟《はさ》んで、試合後のあいさつを江田川中と交《か》わした。

「イガラシ！」

井口に声をかけられた。ものすごく悔《くや》しそうな顔をしている。まぁ、当然か。

左打者をそろえた作戦が成功し、試合は5対0で墨谷が勝った。ピッチャーとしての俺は、3本のヒットを打たれたけれど、ほぼ完璧《かんぺき》に近いピッチングだった。

「せこい野球しやがって。来年、覚えておけよ」

井口は笑いながら言った。

「あぁ。でも、そのためにちゃんと練習して、コントロールよくしとけよ」

俺はまじめに答えた。本気で井口と、力と力の勝負をしたいと思っていた。

「死ぬほど練習するよ。来年は、お前が泣く番だからな」

お前が泣く？　よく見ると、井口の目には、うっすらと涙《なみだ》が浮かんでいるようにも見えた。

右バッター限定でもコントロールがよくなったのは、井口なりに練習をがんばった成果《せいか》に違いない。でも、その練習量より、俺たちの練習が勝《まさ》っていた。ただそれだけのことだ。

最後まで悔《くや》しそうな表情のまま、井口は去っていった。

来年が楽しみだ。でも、俺だって成長を続ける。そう簡単に負けるつもりはない。

7th

イニング

「いよいよ、明日は決勝戦だね」

隣《となり》を歩く曽根クンが言った。明日の決勝に備えて、いつもより早く、野球部の練習は終わった。まだ4時にもなってない。太陽は、ようやく西の空に傾《かたむ》き始《はじ》めたところだ。

曽根クンと並んで、日差《ひざ》しを背に受けて歩く。ボクたち二人の家が、同じ方向だと知ったのは、わりと最近のことだ。

「明日は、近藤が投げるんでしょう？　すごいよ！　1年生なのに決勝戦に先発するなんて」

「でも、青葉学院ってのは、メッチャ強いらしいから」

「強いどころじゃないよ。去年は全国大会で優勝したんだし。日本一だよ。でも、その青葉を一番苦しめたのは、地区大会での墨谷二中だから」

「ふーん、そうなん？　曽根クンは、よく知ってるな」

「うん、まぁ……。それより、明日は、最初から全力でいかなくちゃダメだよ。相手は青葉学院なんだから。後ろにはイガラシさんが控《ひか》えてるし、決勝なんだから、思いきり飛ばしていかないと」

「うん、そやな。最初から全開でいくわ」

これは本心だ。

ボクはずっと勘違《かんちが》いしてた。自分には、とんでもない野球の才能があるんやと。もちろん今でもそれなりに自信はある。でも、上には上がいると、最近はつくづくわかってきた。イガラシさんの野球センスなんて、完全に別格《べっかく》や。準決勝のときの江田川中の井口さんという人もすごかった。あのスピードはボクよりもずっと速い。ボクよりすごい選手はたくさんいる。

ボクは、守備は下手《へた》くそで、バッティングはまあまあ。ピッチャーとしては、球は速いけど、変化球すら投げられへん。

完全にお山の大将《たいしょう》やった。それがようやく最近わかってきた。

「ライトを守るなんてカッコ悪い」

そんなことを、平気で島田さんの前で言ったこともあったっけ。そりゃあ怒《おこ》るわ。

今ならわかる。守備の人に助けてもらわないと試合になんて勝てるわけがないんや。

ベアーズのみんなは、ボクと一緒にやる野球が、あまり楽しくなかったかもしれへんな。小学生のころ、ボクはチームのメンバーのことなんて、まるで考えもせんかった。一人で威《い》張《ば》って、ずっと自分のやりたいように振《ふ》るまってた。

みんなに謝《あやま》りに行きたい。

でも大阪は遠いし、そんなことできるわけないか。だからせめて、これからは、曽根クンやみんなと楽しく野球をやりたいんや。

「なぁ、曽根クン。ボクらが上級生になったときは、楽しいチームを作ろうな。でも、すごく強いんよ。そんな野球部が作りたいねん、ボク」

「うん、でも厳《きび》しさも必要だよ。楽しくて、厳しくて、強いチーム。そんな野球部がいいと思う」

「そっか。厳しさも必要か。そやな、厳しくないと強くなれへんもんな」

「実は僕、去年の墨谷 対 青葉の試合を球場で見たんだ。それで、墨谷の野球部に絶対入るって決めた。それなのに、合宿から逃げ出して……カッコ悪いよね」

「そんなことないで。ボクは弱音《よわね》をはいたり、サボったりしてたけど、曽根クンは、全然そんなことなかったやん。丸井さんやイガラシさんみたいな野球バカは、ボクくらいチャランポランやないと、付き合いきれんのと違う？」

「近藤、ありがとう。来年はイガラシさんがキャプテンになるだろうけど、近藤も、全然違うタイプのキャプテンになって、チームを引っ張っていけるかもしれないね。いや、近藤ならきっとできるよ」

え？　ボクがキャプテン!?　いやいや、それはないわ。ボクがキャプテンなんて、できるわけがない。

「曽根クン、びっくりすること言わんといて！　ボクにはキャプテンなんてムリやし」

「そうかな？」

曽根クンはそう言って、ニコニコとボクの顔を見る。

まぁ、ええか。ボクたちはまだ1年。まだまだ、そんな話はずっと先のことや。でも、曽根クンや、一緒にキツい練習に耐《た》えたみんなと楽しめたら、野球はもっともっと楽しくなるかもしれない。

「とにかく、明日、メッチャがんばるから、曽根クン、応援よろしくな！」

「うん、任せて！」

よっしゃいこう！　力がわいてきた。明日の先発は、死ぬほど気合いを入れて、全力で飛ばしていこう。チーム全員で勝つために、ボクは自分の力のすべてを出し切ろう。

〈**小野寺舞**〉

「丸井くん、決勝進出おめでとう！」

練習が終わり、部室から出てきた丸井くんにそう声をかけた。

「おう、小野寺、どうしたんだよ？」

「仮《かり》の学校新聞を作ってみたから、丸井くんに見てもらおうかと思って」

そう言って、わたしは出来上がったばかりの学校新聞を丸井くんに渡《わた》した。

「なにこれ？　まだ青葉とは試合してないんだけど」

ざっと記事を読み、丸井くんが不思議そうに言った。無理もない。見出しには『墨谷二中優勝！』とか『青葉学院を撃破《げきは》！』なんて書いてあるのだから。

「予定稿《よていこう》って知らない？　あらかじめ、記事のたたき台を作っておくの。それに、明日の試合、勝つ気でいるんでしょう？　それなら問題ないよね？」

「そりゃあそうだけど。でも『たたき台』っていうか、これ、細かい内容まで書いてあるけど。なにこれ、『キャプテンの丸井は、四打数四安打の大活躍《だいかつやく》をした』って？」

「だから、ダミーの記事だって。あらかじめこういう風に作っておいて、本物の試合を見て、記事を差《さ》し替《か》えるの。まずは、レイアウトとか、紙面の感じをこうやって見ておくのよ」

「ふーん、なんかよくわかんないけどすごいな。小野寺ってこんなことができるんだ。ちゃんと新聞みたいになってるもんな」

「こんなレイアウトは、パソコン使えば簡単だって。記事は想像で書けばいいんだし。誰でもできるよ」

「いや、俺ができるのは、野球だけだから」

わたしは返事をせずに、笑顔《えがお》で丸井くんの顔を見る。

ふつう、予定稿では、こんなに詳《くわ》しく記事を想像で書いたりはしない。あそこに書いたのは、予定稿というより、決勝を見ることができないわたしの「願い」みたいなものだ。

丸井くんが歩き出したので、わたしもその隣《となり》を歩く。家は逆の方向なので、校門を出るまでが、残された話せる時間だ。

「なぁ、九州に行く日って決まったの？」

歩きながら丸井くんがたずねた。

「うん、決まった」

わたしは小さな声で答える。本当のことをいうと、引《ひ》っ越《こ》しの日は、ずっと前からハッキリと決まっていた。

「いつなの？」

「それが……明日《あした》なんだ」

「明日!?　マジで？」

「うん、ゴメン。なんか、なかなか言う機会がなくて」

どうしてか言えなかった。決勝戦の日と、わたしが九州に行く日が同じだなんて、ずっと前からわかっていたけど、なぜだか丸井くんに、それを伝えることができなかった。

「なんで謝《あやま》るんだよ？　別に小野寺は悪くないだろ」

「うん……まぁ、そうなんだけど」

　自分でもよくわからない。いくらでも話す機会があったのに……。夏合宿のときも、大会が始まってからも、丸井くんに話しかけることができなかった。わたしは、ただ遠くから野球部や丸井くんのことを見守ることしかできなくなっていた。

「決勝戦、がんばってね」

「小野寺も、九州でがんばれよな」

「うん、ありがと」

　こんなダミーの新聞記事を理由に、丸井くんに会いにきたのは、なぜなんだろう。自分でも、よくわからない。

　校門が近づいてきた。話したいことは、たくさんあるようでいて、意外となかった。

「その記事さ、後輩《こうはい》の祥子ちゃんが、ちゃんと書き直して、二学期になったら、本物の学校新聞として張り出されるから、楽しみに読んでね」

「わかった……。この記事の通りになるよう、がんばるよ」

　校門まで来た。ここからは反対方向に進むことになる。

「じゃあ」

そう言ってわたしは、丸井くんに背を向けて歩き出した。

「ちょっと待てよ」

丸井くんの声がして、わたしは振《ふ》り返《かえ》った。

「あれだ、家まで送ってくよ」

わたしはびっくりして丸井くんの顔を見る。丸井くんは、全然違う方向に顔を向けていた。

「ホント？　ありがと。じゃあ一緒に帰ろう」

思ったより、サラリと言うことができた。

二人で並んで歩く。西の空にある太陽は、まだけっこう高い場所にある。

何を話せばいいのかわからない。でも不思議と楽しい。こんな風に歩くことは、もうないのかなと思うと、やっぱり少し寂《さび》しくなった。

〈イガラシ〉

「兄ちゃん、待ってよ。僕も走るから！」

慎二《しんじ》が追いかけてきた。

俺は学校での練習を終え、家に戻《もど》っていた。そして、いつものように晩飯《ばんめし》前のランニングをするつもりで、家を出ようとしていた。

「慎二、悪いな。今日は、一人で走りたいんだ」

「どうして？　一緒に行くよ！」

「ダメだ！　一人で走らせてくれ！」

「どうして？　いいでしょ、一緒に走ったって！」

「だから、ダメだって言ってるだろ！」

大きな声を出してしまった。慎二が驚《おどろ》いた顔をしている。俺は、小さく深呼吸《しんこきゅう》をした。

「慎二、ゴメン。今日だけは一人で走りたいんだ。わかってくれ」

なるべく静かに話した。慎二がうなずいてくれた。

家を出て、一人で走り出した。

明日の決勝に備《そな》えて、早めに練習を終えたせいか、まだ太陽が西の空にあった。

夕日に向かって走りながら、明日の試合のことを考える。

――明日の試合のことを考えようと思っているのに、俺の頭の中に浮かんでくるのは、去年の青葉学院との試合のことだった。

あと、ほんの数センチだった。

あと、ほんの数センチで、青葉学院に追いつくことができた。

あのときの自分の走塁《そうるい》を思い出す。俺の走りにミスはなかっただろうか？

完璧《かんぺき》に最短で最速のコースを走っていれば、同点に追いつけたかもしれない。そうすれば、その後の展開《てんかい》はどうなっていただろう？

タラレバなんて意味はない。そんなことはわかっている。でも、この一年間、あと数センチで届かなかったホームベースのことが、俺の頭の中にこびりついてしまっている。

この借《か》りは絶対に返す。明日は俺たちが勝つ。

走る先にホームベースが見えたような気がして、俺はあやうく全力疾走《ぜんりょくしっそう》しそうになる。

落ち着け、すべてを出し切るのは明日だ。

高まる気持ちを抑《おさ》えながら、夕日に向かって、俺はゆっくりと走り続けた。

8th

イニング

〈丸井〉


ついに決勝戦の日がきた。

相手はもちろん、青葉学院。最強の敵だ。

スタンドは観客でいっぱいだった。ベンチからグラウンドに出て、俺は観客席を見上げる。

クラスの仲間たちの姿《すがた》がおおぜい見えた。

スタンドの最前席に、いつも小野寺と一緒に試合や練習を見ていた2年生の女子の姿があった。小野寺は今日が引っ越しの日。ここに来ることはない。

彼女は、俺と目が合うと、ペコリと頭を下げた。俺も会釈《えしゃく》を返す。

さらにスタンドを見回す。

スタンドの上のほうに谷口さんの姿があった。松下《まつした》さんや小山《こやま》さん、マネジャーだった詩織《しおり》さんなど、他の卒業した先輩たちも来ていた。

「なんか谷口さんらしいですね。あんな遠くから見ているなんて」

イガラシがやってきて言った。そして、俺と同じように谷口さんたちを見上げる。

「余計《よけい》なアドバイスをするつもりはないんでしょう。きっと、丸井キャプテンを信頼してるんですよ」

俺のほうから、先輩たちに大きく手を振り、深々とおじぎをした。

松下さんや小山さんが立ち上がってガッツポーズで返してくれた。そして何かを大声で叫《さけ》んでいる。はっきりとは聞こえないけど、応援してくれているのが十分に伝わった。

そして谷口さんや詩織さんは、席についたまま手を振っている。

〝そこにいてくれるだけで、はげまされます〟。俺は、心の中で、先輩たちにお礼を言った。

「丸井、俺たちの練習だぞ!」

加藤が声をかけてきた。試合前の練習が始まる。

「よし、いくぞ!」

俺は部員たちに声をかけ、グラウンドへと走っていった。

両チームの練習が終わり、試合前のあいさつのため、整列した。

ホームベースを挟《はさ》んで青葉学院と向かい合う。俺の目の前には、青葉のキャプテンである佐野がいた。

「お互《たが》い、がんばろうぜ」

そう声をかけたが、完全に無視された。でも俺は気にしない。佐野らしい対応だと思う。おかげで戦うんだという気分が、いっそう盛り上がってきた。

青葉学院は、先発メンバーを、準決勝までの顔ぶれからガラリと変えてきた。おそらく最強のメンバーのはずだ。

「よろしくお願いします！」

あいさつをして、俺たちは守備についた。墨谷二中は後攻。先発ピッチャーに、俺は近藤を指名していた。

「プレイボール！」

審判の右手が挙がった。

「よっしゃぁ、いこうぜ！」

俺はセカンドのポジションから大声を出し、空を見上げる。太陽がギラついていて、ものすごく暑い。グラウンド上の温度は、40度を超《こ》えているように感じる。

いよいよ決勝戦が始まる。

〈**近藤**〉

「よーし、近藤、気合い入れていけよ！」

内野の先輩たちから、いろいろな声がかかる。

深呼吸《しんこきゅう》して、ボクは球場をグルリと見回した。ものすごいたくさんの観客だ。ここで活躍《かつやく》したら、ボクはヒーローやな、と思う。

振りかぶって、第一球を投げた。

バシーン！

気持ちのいいストレートが、小室さんのキャッチャーミットに飛び込んでいった。

ストライク！　審判が大きな声でコールした。

なんかいけそうな気がする。今日のボクは、いつも以上に調子がよさそうや。

第2球も気持ちよくストライクを取った。

よし、いける。ここは三球三振でいったろ！

ところが――

キン！

あっ、打たれた。なんで？

打球はファーストの頭を越《こ》え、ライト線へと転がっていった。二塁打になった。

「近藤、なんで全部ストライクコースなんだよ！」

丸井さんがマウンドまでやってきた。

「すいません。三球三振でいけると思ったんで……」

「バカ！　青葉は今までの学校とは違うんだ！　とにかくボール球《だま》を有効に使え！　お前は小室を信じて投げればいいから！」

「……はい、すいません」

素直に頭を下げた。でも、本当は悔《くや》しい。なんとか力でねじ伏《ふ》せてやりたい。

ボクは、バッターボックスに立つ2番バッターを見る。いくらなんでも、2番の人にそれほどの力はないやろう。

しかし、1球目から、バットを強振《きょうしん》してきた。

カキーン！

やられた！　打たれた瞬間《しゅんかん》にいい当たりだとわかった。

振り返り、打球の行方《ゆくえ》を追う。ホンマか？

ボールは、レフトスタンドへと飛び込んでいった。ホームラン。

ボクは、生まれて初めて、試合でホームランを打たれた。いきなり2点を取られた。

内野の先輩たちがマウンドに集まってくる。

「近藤、真ん中に投げたらダメだって！」

イガラシさんに注意された。

「すいません。でも、まさか2番バッターの人がホームランを打つなんて……」

「あのなぁ、青葉のレギュラーは、よその学校だったら全員が4番レベルなんだよ！　だから気を抜いたらダメなんだ！」

今度は丸井さんに怒《おこ》られた。

「はい……すいません」

「相手は青葉なんだ！　甘《あま》くみるな！」

「……はい」

「とにかく低めに投げろ。そうすれば、お前の球威《きゅうい》なら、当てることはできても、長打にはならないから。バックを信頼しろ。俺たちが、絶対にアウトにしてやる」

「はい！」

ようやく目が覚めた。そうや、先輩《せんぱい》たちを信頼《しんらい》しないと。だって、先輩たちはボクを信頼して、先発を任せてくれたんやから。

「わかりました。低めに投げて打たせていきますから、よろしくお願いします！」

野球はみんなでするものや。ボクは墨谷に来て、そのことを学んだ。もう、小学生のころのような野球をしてもおもしろくない。

「よし、しまっていくぞ！」

丸井さんが声をかけ、先輩たちがそれぞれのポジションに戻《もど》っていった。

よし、次は3番バッターか。小室さんが、内角低めに構《かま》えてるな。もう、なんにも考えずに、ミットをめがけて投げよう。

キン！

アカン、また打たれた！　今度は三塁線に飛んだ！

と思ったら、イガラシさんが横っ飛びで捕《と》った！　素早《すばや》く起き上がりファーストに投げる。

アウト。すごい！　今のも抜けてたら、絶対に二塁打コースやった。

「イガラシさん、ありがとうございます！」

「そんなの、いいから！　その調子でバックを信頼《しんらい》してどんどん投げろ！」

「はい！」

信頼、か。この野球部に入らなかったら、そんな言葉、死ぬまでボクには理解できなかったかもしれへんな。

「しかし丸井さん、このボクが一人も三振を取れないって……、青葉学院っていうのは恐《おそ》ろしいチームですねぇ」

１回表《おもて》を終え、ベンチに戻《もど》ってきた近藤が、冗談《じょうだん》とも本気ともつかないことを真顔《まがお》で言った。

「当たり前だ。でも、まぁ、その調子で全力でいけよ」

口調は相変わらずだけど、１回を投げただけで、近藤の疲労《ひろう》がたまっているのがわかる。相手が青葉で、しかもこの暑さだ。２点ですんだのは上出来《じょうでき》だろう。

さあ反撃《はんげき》だ。１番バッターの滝がバッターボックスに立った。

「よーし、滝、いこうぜ！」

俺は、ベンチから大声を出した。

佐野が投げた３球目を滝が打った。打球は、佐野の頭上を越《こ》え、センター前のヒットになった。

佐野が驚《おどろ》いた顔をしている。まさか、打たれるとは思っていなかったのだろう。

悪いな佐野。俺たちは、近藤の速球とイガラシの変化球を、普通よりも3メートルも近くから打って練習してきたんだ。お前の投げる球だって、俺たちにとっては特別じゃない。

次は2番バッターの加藤が打席に入った。

よし、加藤も落ち着いている。滝のヒットを見て、自分も打てると思ったんだろう。

キン！

加藤も打った。ライト前のヒットになった。これでノーアウト一塁、二塁。

「よっしゃあ！　いくぞぉ！」

3番バッターは俺だ。気合いを入れてバッターボックスに入り、佐野をにらんだ。

佐野の表情が弱々しく感じる。連打されてとまどっているようだ。

よし、今がチャンスだ。送りバントではなく、ここで一気にたたみかけよう。

ツーボール、ツーストライクからの5球目を、俺は思い切り叩《たた》いた。

センター前のヒット。滝がホームインして、1点を返した。

「ナイスバッティング！」

ベンチの連中が大騒《おおさわ》ぎしている。俺は、みんなにガッツポーズをする。いい感じだ。

さらに、4番のイガラシ、5番の佐々木、6番の島田と連続ヒットが出て、俺たちは、初回に一挙《いっきょ》に4点を奪《うば》って青葉を逆転した。1回の攻防《こうぼう》を終えて4対2。青葉を相手に、最高の出だしといっていいだろう。

〈イガラシ〉


レフトの久保からの返球が遅《おく》れている。

マズい。セカンドにいたランナーはサードベースを回っていた。

久保から、ボールを受け取る。

「イガラシ、バックホームだ!」

丸井さんの声が聞こえる。わかっている。これは1点を争《あらそ》うゲームだ。

すかさずバックホームした。キャッチャーの小室が受けて、タッチにいく。

「セーフ!」

審判《しんぱん》が両手を大きく広げた。

クソ！　間に合わなかったか。これで4対5。逆転を許《ゆる》した。

マウンドに内野の選手が集まる。近藤の疲《つか》れた顔が見えた。

試合はまだ3回の表。でも、もう近藤は100球以上は投げているはずだ。さすがは青葉学院、近藤のピッチングが悪くないとみるや、球数《たまかず》を投げさせ、疲れさせる方針《ほうしん》に切り替えてきた。そして着実に攻《せ》めてくる。2回に2点を取られて同点にされ、そしてこの回、さらに1点を奪《うば》われ、4対5と逆転されてしまった。

「大丈夫《だいじょうぶ》か、近藤？」

丸井さんが近藤に声をかけた。

「大丈夫です。それにしてもよく打ちますね。こんなん初めてですよ」

「いや、お前はよく投げてるよ。どうする、イガラシに交代するか？」

「まさか！　まだまだボクは大丈夫ですから！」

俺は、丸井さんと、目で相談し合った。

難しいところだ。前の準決勝を、俺は一人で7回まで投げ切っていた。そのときの疲労《ひろう》がまだ残っている。この試合で登板するにしても、もう少し後のほうがいい。とはいえ、まだワンアウトで、ランナーが一塁と二塁。長打なら2点。ホームランなら3点を取られてしまう場面だ。これ以上失点をするのは、絶対に避《さ》けたい。

しかも、佐野のほうは完全に復調《ふくちょう》していた。1回の裏に、俺たちは4点を奪《うば》ったけれど、2回からは、ほぼパーフェクトなピッチングに抑《おさ》えられている。やはり、日本一のチームのエースだ。

「大丈夫ですって！　ボク、まだまだいけますから！」

近藤は強情《ごうじょう》に言い張る。強がっているのか、本当に余力《よりょく》があるのか、見極《みきわ》めがつかない。丸井さんも、判断が難しいところだろう。

「よし、近藤の続投でいこう。頼んだぞ、近藤！」

丸井さんが決断した。

「とにかく佐野の調子を考えても、もう、これ以上、1点もやれない。気合いを入れて守るぞ！」

俺たちは、それぞれのポジションに戻った。

サードから近藤の投球を見る。いい球を投げている。相手が青葉でなかったら、そう簡単に打たれてはいなかっただろう。

それにしても——と、俺は空を見上げる。

今日はものすごく暑い。ギラギラとした日差しが、俺たちの肌《はだ》を刺《さ》し、容赦《ようしゃ》なく体力を消耗《しょうもう》させる。近藤の疲労《ひろう》の具合《ぐあい》が読めない。あいつは、ピッチャーを降《お》りるということだけは、自分から言い出すはずがない。だからこそ、俺たちが判断を間違えてはいけない。


〈近藤〉


あーよかった。こんなところで降板《こうばん》なんて絶対にイヤや。なにがなんでも、最後まで投げ切ってやる。

「近藤、低めだぞ！　低め！　バックを信頼していけ！」

セカンドから丸井さんの声がかかる。

わかってますって。メチャメチャ先輩たちを信頼してますから。だって、先輩たちの守備じゃなかったら、もう10点くらいは取られてるやろう。

墨谷の先輩たちの守備は、ホントにすごい。さっきからファインプレーの連続や。

でも、それに負けへんくらい青葉もよく打ってくる。こんなレベルの高い野球があったんやなと驚《おどろ》いてしまう。

とにかく、もう1点もやれへんぞ。低めに構《かま》える小室さんのミットだけを見て、ボクは全力で投げた。しまった！　球が浮いてしまった。

カキン！

打たれた。いい当たりだ。右中間《うちゅうかん》に飛んでいく。

ダメだ、抜《ぬ》かれる！　アカン、また点を取られる！


〈島田〉

来た！　こっちだ！

「島田、走れ！」

丸井の声が遠くから聞こえた。わかってる。全力で走った。

抜かれてたまるか。ちょうどライトとセンターの真ん中にボールが転がっていく。

追いかけて走る。俺はギリギリでボールに追いついた。

「バックホォォーム！」

ふたたび丸井の声が響いた。ボールをにぎり、振《ふ》り返《かえ》る。手を大きく広げている丸井の姿《すがた》が見えた。

ここからダイレクトでバックホームなんてできない。すかさず中継《ちゅうけい》プレーを選んだ。俺から丸井。そしてキャッチャーだ。

俺だって肩《かた》を鍛《きた》え、中継プレーを練習してきたんだ。絶対に刺《さ》す！

グローブを構《かま》える丸井に思い切り投げる。低く鋭《するど》い送球を心がけた。届《とど》け！

丸井がボールを受けると、くるりと身をひるがえし、ホームに投げた。

クロスプレーになった。

「アウト！」

主審《しゅしん》の右手が上がったのが見えた。

「小室、サードだ！」

イガラシが叫《さけ》んだ。一塁ランナーが、サードを狙《ねら》っていた。

小室がサードに投げる。イガラシが捕《と》り、タッチ。

「アウト！」

よし！　ダブルプレー、これでチェンジだ！

最高の結果だ！　これが外野の醍醐味《だいごみ》だ‼　近藤、ライトのポジションだって、お前を助けられるんだぞ。


〈丸井〉


「島田、ナイスボール！」

俺は、ベンチに戻《もど》ってくる島田に向かって叫《さけ》んだ。

「おぅ！　丸井、お前こそ！」

俺たちは、グローブでハイタッチを交わす。追加点をやらずにダブルプレーでチェンジ。守備の墨谷の真骨頂《しんこっちょう》だ。

「島田さん！　どうもありがとうございます！」

ベンチに戻ると、近藤が帽子《ぼうし》を取り、島田に頭を下げた。

今まで見たことのないほど、近藤が真剣《しんけん》な表情をしている。

「以前、ライトの守備のことで失礼なことを言って、本当にすいませんでした！　一度、きちんと謝《あやま》らないとあかんと、ずっと思ってたんですけど、なかなか言えなくて。本当にありがとうございました」

再び近藤は頭を下げた。今度は、ほとんど90度くらいまで深く頭を下げている。

へぇぇ、とちょっと感心した。近藤は、あのときのことを、ちゃんと反省していたんだ。だとしたら、俺が考えている以上に、近藤は変わったのかもしれない。

島田もうれしそうだ。

「いや、気にしないでくれ。俺だって、あのときお前を殴《なぐ》っちまったこと、謝ってなかったよな。

ゴメン」

そう言って、島田は近藤の右肩《みぎかた》をポンと叩《たた》いた。

その瞬間《しゅんかん》、近藤が顔をしかめたのを、俺は見逃《みのが》さなかった。

島田は強く叩いたわけじゃない。軽く触《ふ》れた程度《ていど》なのに、どうして、そんな顔をしたんだ？

「近藤、お前、肩、大丈夫か？」

「はぁ……まだ大丈夫ですけど」

「『まだ』って何だ？　痛《いた》めてるってことか？　正直に答えろ！」

「えっと……言葉のアヤですよ」

言葉を濁《にご》している。おかしい。痛めていないのなら、返事をためらうわけがない。

「肩を見せてみろ！」

強引に近藤のユニフォームのボタンを外して様子を見た。

「おい、腫《は》れてるじゃないか！」

思わず大声が出た。はっきり見てわかるほど、近藤の肩は赤く腫《は》れあがっていた。手で触《さわ》ってみる。ものすごく熱い。

「すごい熱、持ってるって！　これで痛くないわけねーだろ！」

「いや、チクっとするくらいですけどねぇ」

イガラシも手を伸《の》ばしてきて、近藤の肩に触れた。

「近藤、これはダメだ。丸井さん、次の回から俺が投げますよ」

イガラシは、そうキッパリと言い切った。

「いやいや、ちょっと待ってくださいよ！　たいしたことないですって。少し痛いかなぁ、ぐらいですから。まだまだ投げられます！」

「ダメだ！　よく聞け、近藤。興奮《こうふん》してるとアドレナリンが出て、痛みをたいして感じなくなることがある。今のお前がそれだ」

「いやイガラシさん、それは大げさですって」

「大げさじゃない。ここでムリすると、肩を壊《こわ》すぞ。お前はまだ1年、来年も再来年《さらいねん》もあるんだ。ここはベンチに下がれ」

近藤が不満そうな表情をする。なおもなにか反論しようと、近藤が口を開きかけると、

「ダメだよ、近藤」

という声が聞こえた。見ると、ベンチの隅《すみ》に、近藤をじっと見つめる曽根の姿《すがた》があった。

「近藤は、もうよくがんばったよ。あとは先輩たちに任そうよ。将来、楽しくて厳しくて強い墨谷野球部を作るんでしょ？　今ムリして肩を壊《こわ》したら、なんにもならないから」

「いや、でも、曽根クン、そう言うけどさぁ……」

「曽根君の言う通りだよ、近藤君」

杉田先生の声だ。先生は、優しく穏《おだ》やかな表情で、近藤を見つめている。

「君には、来年も再来年もある。僕はね、上級生になった君が、どんな野球部を作るのか、今から楽しみにしているんだよ」

そう言ってニコリと微笑《ほほえ》んだ。試合以外、ほとんど野球部に顔を出さないけれど、こんなときの杉田先生には、不思議な説得力がある。

近藤がふぅと息を吐《は》き出した。そして、それまでとは違う、穏やかな表情に変わった。

「はい……わかりました。曽根クンもありがとな」

そして、近藤はイガラシのほうを向く。

「じゃあ、イガラシさん、あとはお願いします。絶対に抑《おさ》えてくださいよ！」

「当たり前だ」

「よし、交代だ！　次の回からイガラシがピッチャー。サードには河野が入る。いいな河野！」

「おいよ！」

河野らしい、ちょっと気の抜けた言葉が返ってきた。

「なんだよ、『おいよ』って？　もう少し気合い入れろよ！」

俺は笑いながら言う。もちろん、本気で怒《おこ》っているわけじゃない。こんな風に、青葉との決勝戦の場で河野と同じグラウンドに立てることが、俺は嬉《うれ》しくてならない。

「まかせろ！　これでもけっこう気合い入ってんだよ！」

そんなの、言われなくてもわかってる。

「よーし！　逆転するぞ！　気合い入れていこう！」

俺は、ベンチの中で大声を出し、さらにみんなに気合いを入れた。

「いいぞイガラシ、その調子だ。どんどん打たせていけ！」

4回表。二人目のバッターをレフトフライに打ち取ったところで、丸井さんから声がかかる。

「ツーアウト、ツーアウト！」

そうみんなに声をかけながら、俺は、青葉のバッターの圧力の強さに改めて驚《おどろ》いていた。

こんな連中を相手に、近藤は投げていたのか。サードから見るのと、実際に投げるのでは、受ける印象がぜんぜん違った。

青葉の攻撃力は、あきらかに去年よりも上だ。野球のいやらしさも変わっていない。どのバッターも、コツコツとバットに当て、ファールで粘《ねば》ってくる。なるべく多くの球数を投げさせようという作戦だ。そして、甘《あま》い球がきたら見逃《みのが》さない。一球たりとも、気を抜くことなんてできない。

たいしたもんだよ、近藤。こんな連中を相手に、よくここまでがんばってきた。

ベンチの中の近藤を見る。今日、必ず全国大会行きを決めてやる。そこでまた、一緒に投げよう。今度は、全国優勝を目指して！

小室のミットを目がけてボールを投げる。

カッ。

打球は、一塁側のファァールグラウンドを転がっていく。

またファールか。まったく、よく粘《ねば》る。

「イガラシ、根負《こんま》けするなよ！」

丸井さんから声がかかる。

大丈夫《だいじょうぶ》ですよ。まだ投げ始めたばかりですから。３回まで近藤が、がんばってくれたおかげで、最終回まで全力で飛ばしていけそうだ。

そう考えてみると、青葉のエースの佐野さんは、やっぱりすごい。この異常な暑さの中、もう80球以上は投げてるはずなのだから。

〈**丸井**〉

「丸井さん、頼みますよ！」

ベンチから懇願《こんがん》するような近藤の声が聞こえてきた。

バッターボックスに入り、ベンチを見る。みんなが祈《いの》るように俺を見ていた。

7回裏。高校野球やプロ野球ではイニングが9回まであるが、中学生は、この回が最終回だ。

得点は4対5で、1点差をつけられたまま。ここで追いつかないと負けだ。

ワンアウトでランナーなし。

絶対に出塁《しゅつるい》する。そう考えながら、俺は打席に立った。バットを構《かま》え、佐野を見る。

佐野の表情がつらそうだ。今までのような余裕《よゆう》が感じられない。あいつも疲《つか》れているんだ。

無理もない。気温は35度を超えたらしい。グラウンドの温度は、間違いなく40度以上だろう。

その中を佐野は一人で投げ抜いてきたのだ。疲れているに決まってる。

ある作戦が浮かんだ。よし、やってみよう。その価値はあるはずだ。

「よっしゃあ！　いくぞぉ！」

俺は大声を出し、バットをこれでもかとブンブン振った。

とにかくあと一点。なにがなんでも出塁してやる。


〈佐野〉


「よーし、佐野、ワンアウト、ワンアウト。ていねいにいこう!」

キャッチャーの古谷《ふるや》がわざわざマウンドまで駆け寄ってきた。

わかってるって。

声を出すのが面倒《めんどう》だから、ボクはグローブを軽く上げて、返事の代わりにした。

あと二人で試合は終わる。地区予選で、こんなに疲《つか》れるなんて……。小さくため息をついた。

ただ、その二人というのが面倒だ。丸井とイガラシ。でも、初回をのぞいて、ボクはこいつらを抑《おさ》えている。

早く終わらせないと、精神はもってもカラダがもたない。ギラギラと照《て》りつける太陽を感じながら、そんなことを考えた。認めたくはないけれど、墨谷二中っていうのは、たいしたチームだ。去年は、墨谷に奇跡《きせき》が起きたんだと思った。でも、今年は奇跡なんかじゃない。ボクら青葉は、全国優勝に甘《あま》んじることなく、きつい練習に耐《た》えてきた。おそらく墨谷も同じなんだろう。

心を無にする。そして、第1球を投げた。見逃《みのが》し。ボール。

もう、いつものようなギリギリのコントロールができなくなってきている。

「いいよ！　じっくりいこう！」

古谷が、ボールを返しながら言った。

じっくりなんて嫌《いや》だね。こんな試合、とっとと終わらせたい。

第2球。古谷のサインをのぞき込みながら、丸井の表情も確認する。当たり前だけど、全然あきらめた様子はない。むしろ、やる気満々だ。強がってバットを振り回しやがって、お前だって、疲《つか》れてるはずだろ!?

振りかぶって、投げた。同時に、丸井がバントの体勢になった。

セーフティバントだ！

サード寄《よ》りのピッチャー前にボールが転がった。ボクの守備範囲《しゅびはんい》だ！　ダッシュして、素手《すで》でボールをつかむ。そして――

あれ？

世界がクルリとまわったような、不思議な光景が目の前に広がる。

……どうなってるんだ？

「タイム！」

「佐野、大丈夫《だいじょうぶ》か？」

そんな声が聞こえた。目の前には、青空が広がっている。

監督の顔が見えた。ボクを、のぞきこんでいる。

ようやく状況《じょうきょう》がわかった。ボクは、グラウンドに倒《たお》れてしまったんだ。丸井のバントを処理《しょり》しようとダッシュをして、そのまま足がからんで転んでしまった。

ボクは体を起こそうとした。

「ダメだ！　そのまま動かないで！」

審判の声だ。

どうして？　どうして動いたらダメなんだ？　足がからんで転んだだけなのに。審判の声を無視して、強引《ごういん》に上半身を起こした。みんながボクのまわりに集まっていた。

「佐野、無理するな。動くんじゃない」

「いや、監督。つまずいただけです。大丈夫ですから」

立ち上がろうとした。しかし、足元がフラつく。ボクは、監督に抱《だ》きかかえられてしまった。

「つまずいただけじゃない。熱中症《ねっちゅうしょう》だ。お前の体はもう限界《げんかい》だ。気づかずに、すまなかった」

熱中症？　限界？　なぜ監督は謝《あやま》っているんだ？

「いや、最後まで投げますから……」

「佐野、無理すんな。あとは任せろ」

中村《なかむら》の声だ。青葉の４番バッター。今日も２安打できっちり主砲《しゅほう》としての役割を果たしている、信頼できる仲間だ。

「そうだ。佐野、もう休め。一緒に練習してきた仲間を信じろ。お前ほどの才能はなくても、俺たちは青葉のレギュラーだ。あとのことは心配するな」

今度は古谷の声だ。この1年間、ずっとボクの球を受けてくれた相棒《あいぼう》。バッテリーとして、もっともたくさんの時間を、一緒に過ごしてきた仲間だ。

「タンカが来ました!」

誰かの声がした。

「佐野。タンカに乗りなさい。交代だ。よくがんばった」

「はい」

素直に監督の指示に従った。そうだ、みんなに任せよう。何も心配することはない。みんなの実力は、3年間一緒に練習をしてきたボクが一番よく知っている。この試合はボクらの勝ちだ。そして、またみんなと一緒に全国大会を戦おう。

タンカで運ばれるとき、チラリと見ると、青葉の選手たちの輪《わ》の中に丸井の姿があった。ものすごく心配そうな表情でボクのことを見ている。

クスリと笑ってしまった。なんでお前がそこにいるんだよ。敵なのに。

ゆらゆらとタンカで運ばれながら、ボクは空をながめる。さっきまでは暑さで息苦しいほどだったのに、どういうわけか、とてもいい気分になった。

〈川原監督〉

「監督、次のピッチャーは大橋《おおはし》でいいですか?」

タンカに乗った佐野を見送っていると、コーチの栗原《くりはら》が声をかけてきた。

「あぁ、あいつしかおらんだろう。すぐマウンドに上げてくれ」

選手の交代を審判に告げると、私はベンチに戻り、大橋の投球練習を見守った。

少し緊張《きんちょう》しているようだ。佐野の突然の降板《こうばん》に動揺《どうよう》しているのかもしれない。

大橋は、青葉学院野球部の2番手ピッチャーだ。青葉の2番手なら、他のどの中学にいってもエースが務《つと》まる。才能もあるし、この地区大会でも何度も登板している。だが、決勝の大一番。しかも1点差という場面。少し荷《に》が重《おも》いかもしれない。

それにしても、去年の谷口君のときにも感じたが、墨谷二中は本当に不思議なチームだ。

丸井君が偵察に来たときのことを思い出した。正直なところ、そのときの私は、彼の名前すら思い出せなかった。

でも、「ピッチングマシンを打ってみるか?」と佐野が言ったとき、彼はひるむことなくバットを持ち、打席に立った。そして、何回空振りしても、あきらめることなくバットを振り続け、最後には、何度かバットに当てさえしていた。ウチのレギュラークラスだって、最初のうちは空振りばかりだったというのに。

彼の姿勢《しせい》こそが、墨谷の強さの秘密なのかもしれない。どんな状況であってもあきらめたりしない。彼のそんな気持ちのあり方が、他の選手たちにも、しっかり浸透《しんとう》しているんだろう。

今年、私は、野球部をさらに強くするため、練習にOBを招いたり、最新鋭《さいしんえい》のピッチングマシンを導入《どうにゅう》したりした。けれど、そんな恵《めぐ》まれた環境にない墨谷が、ここまで健闘《けんとう》している。

つまり、チームの強さを決めるのは、練習の環境や道具などではないということだ。選手一人ひとりの、野球に対する想いの強さが大切なんだということに、ようやく私は気づかされた。

さすがは青葉、2番手でもいいピッチャーだ。俺はファーストベース上から、新しく青葉のマウンドに立った、大橋というピッチャーを見ていた。

大橋の投球練習が終わり、試合が再開された。俺は、盗塁《とうるい》をねらい、大きくリードを取った。

「丸井さん、戻《もど》って！」

ファーストのランナーコーチが叫《さけ》んだ。頭からファーストベースへと戻る。

「セーフ！」

一塁の塁審《るいしん》の声が頭上から聞こえた。

ギリギリだけど、これでいい。大橋の集中力を乱《みだ》す作戦だった。1点差の最終回。こんな場面で登板《とうばん》させられたら、青葉の選手でもきっと緊張《きんちょう》するはずだ。リードを大きく取り、盗塁の可能性をにおわす。バッターのイガラシだけに大橋の意識を集中させるつもりはない。

それに、盗塁の可能性が頭にあると、投げる球にもいろいろな制限が生まれる。大きく変化する球は投げにくいはずだ。球種が絞《しぼ》れれば、イガラシは打つ。

スリーボール、ツーストライク。

よし、いいぞ。フォアボールは出したくないはずだ。あまりギリギリのコースは投げにくくなるだろう。

大橋が投げると同時に俺は走った。

カーン！　打球の響きが聞こえる。いい音だ。イガラシが打った！

いい当たりだ。これは長打コースになる！

俺は、全力で走った。ボールが右中間を転がっていくのが見えた。

サードのランナーコーチが腕《うで》をグルグルと回している。突《つ》っ込《こ》めという合図だ。

サードベースを蹴《け》った。中継《ちゅうけい》のセカンドが、ボールを受けたのが横目に見えた。

頭から、思い切り滑《すべ》り込《こ》んだ。

「セーフ！」

やった！　ドタン場で追いついた。これで同点。イガラシはセカンドまで達している。このままサヨナラで試合を決めてやろう！

〈イガラシ〉

試合は、延長戦に入った。あと一歩が決めきれなかった。

最終回の攻撃《こうげき》で、俺たちは、なんとか同点に追いつくことができた。しかし、さらに点を入れ、サヨナラ勝ちすることはできなかった。しかたがない。佐野ほどではないにしろ、大橋もいいピッチャーだ。そう簡単に打てるわけがない。

「イガラシ、しめていけよ！　これからだぞ！」

また、丸井さんの声が聞こえた。うるさいけど、ありがたい。

8回の表。5対5の同点。

ふりだしに戻《もど》ったようだが、現実は、チームの状態には格段《かくだん》の差《さ》があった。

俺たちは、みんな疲《つか》れている。俺の登板《とうばん》は、4回からだったが、もう100球以上を投げている。しかも、先ほどの回で、俺は二塁打を狙《ねら》って、全力疾走《ぜんりょくしっそう》をした。まだ息が切れている。

日差しは、相変わらず刺《さ》すように強く、流れる汗《あせ》が目に入ってくる。ぐいっと汗をぬぐう。

「気合いを入れていこうぜ！」

振り返り、みんなに向かって叫《さけ》んだ。

「おぅ！」

みんなから声が返ってくる。

気合いで勝てるなんて信じていないけど、ここまできたら、もう気合いしかない。この試合に、どれだけ強い想《おも》いがあるか――それが勝敗の分かれ目だ。その想いならば、俺は誰にも負けない。


〈佐野〉


「もう、本当に大丈夫《だいじょうぶ》ですから」

そう医務室の人に声をかけ、ボクはベンチへと急いだ。球場からのざわめきが、通路にまで響《ひび》いてくる。なにかがいつもと違う。普通の試合での歓声《かんせい》とは、どこか違っているように感じた。

ドアを開け、ベンチに入る。

「佐野、大丈夫《だいじょうぶ》なのか？」

古谷が声をかけてきた。

「大丈夫だ。迷惑《めいわく》をかけて悪かったな」

そう答えてベンチに座り、試合の状況を確認する。9回の表——延長戦になったのか。青葉の攻撃。まだノーアウトのようだ。

そのとき——

「いいかげんにしろ！」

「恥《は》ずかしくないのか！」

スタンドから、大きなヤジが聞こえてきた。

「おい、どうなってるんだ？」

そっと小声で古谷に確認する。

「ウチの作戦がひんしゅくを買ってるんだ。ファール打ちで、ピッチャーを疲《つか》れさせる作戦がな。イガラシに同情して、観客が怒《おこ》り出《だ》したんだ」

小声で古谷が説明した。なるほど、そういうことか。

打席の松野《まつの》がとまどっている。ヤジがつらいのだろう。でも、あいつにはなんの責任もない。青葉の野球は、すべて監督の指示によるものだ。そして、その指示を、ボクたちは守らなければならない。

「おい、正々堂々と勝負しろ!」

「ヒキョー者!!」

声が近い。味方のスタンドからもヤジが飛んでいるようだ。

マウンドのイガラシを見る。明らかにしんどそうだ。足元がフラフラしている。

丸井が駆《か》け寄《よ》り、イガラシに声をかける。でも、その丸井だって、相当に疲《つか》れているようだ。

というより、墨谷の選手全員が疲れ切っている。

監督の横顔を見る。しかし、ヤジには、まるで動じている様子はない。

青葉の野球はこれでいいんだ。これは〝勝つための野球〟だ。ひきょうなんかじゃない。でも……。初めてボクは、監督の作戦に違和《いわかん》感を覚えた。

正面から勝負をしたい。もちろん、ベンチに下がってしまったボクに、そんなことを言う権利はない。でも、チームの一員として、墨谷と真《ま》っ向勝負《こうしょうぶ》がしたい。

〈イガラシ〉

少し視界が揺《ゆ》れているような気がする。体がふらついているんだろう。

「イガラシ、踏《ふ》ん張《ば》ってくれ。もうお前しかいないんだ」

丸井さんが、マウンドまで来て言った。他の内野手たちも集まってくる。

９回の表。ワンアウトでランナーが一塁と三塁にいる。

「わかってます。大丈夫です」

「スクイズがあるぞ。内野は前進守備《ぜんしんしゅび》。いいな？」

丸井さんが指示を出す。その通り、スクイズの可能性がある。これは１点を争うゲームだ。

内野が、それぞれの守備位置に戻《もど》って、試合が再開した。

俺は変化球を投げ続ける。今の俺のストレートでは、簡単にバントされてしまうだろう。

「しゃ！」

自分でもなんて言ってるのかわからない。1球投げるごとに、自然と声が出てくる。

相手バッターが軽くバットを振った。ファール。緊張感《きんちょうかん》を切らしたら負けだ。我慢《がまん》くらべ。

絶対に負けるわけにはいかない。

ツーストライク。これでもうバントの可能性は低くなったはずだ。俺が失投するまで、相手はファールで粘《ねば》ってくるだろう。でも、俺は絶対に失投なんかしない。


〈河野〉


イガラシってのは、本当にたいした男だ。

俺は、サードのポジションからイガラシの投球を見守る。疲《つか》れているはずなのに、きっちりとコーナーいっぱいに投げ続けている。

これがイガラシのすごさだ。技術だけじゃない。精神力が、とてつもなく強い。

俺が勝てるわけないよ。

キン！　フライが上がった。サードのファールフライだ。

「河野！」

丸井の声が聞こえた。わかってる。任せておけ。

ボールを追って走る。捕《と》れそうだ。

視界の隅《すみ》にフェンスが見えた。

構うもんか、いけ！　思い切りグローブを差し出す。

捕った!!　と思うと同時にものすごい衝撃《しょうげき》がきた。俺はフェンスに激突《げきとつ》してしまった。

でも、すぐに上半身を起こし、夢中でボールを内野に返す。まだワンアウト。タッチアップでホームに突入《とつにゅう》されるのを防《ふせ》ぐためだ。

「君、大丈夫か？」

三塁の塁審《るいしん》が声をかけてきた。俺は、投げたあとも、上半身を起こした状態のまま、グラウンドに腰《こし》をおろしていた。

「ハイ、大丈夫です」

そう言って、俺は立ち上がった。ちょっと足元がふらつく。

「いや、ムリしないで。今、頭を打っただろう?」

「いや、打ってません。大丈夫です」

タイムを取り、内野の連中が集まってきた。

「河野、大丈夫か!」

自分だって疲《つか》れているはずなのに、誰よりも早く、丸井がすっ飛んできて言った。

「大丈夫、余裕《よゆう》だよ」

ホントはちょっと肩《かた》が痛《いた》いけど、そこは強がって、笑顔で答えた。

「君、本当に大丈夫かね?」

審判が、なおも心配そうに聞いてくる。

「はい。これくらいのこと、しょっちゅうありますから。ホント、大丈夫です!」

そう答えて、サードのポジションに走って戻る。走れるくらい大丈夫だと、審判にアピールしたつもりだった。

「ありがとうございました。ナイスキャッチです」

イガラシが声をかけてきた。

「任せろ!　どんどん打たしていけ!」

「ハイ!」

イガラシがうれしそうに答えた。どんなに野球がうまくたって、イガラシもかわいい後輩《こうはい》だ。

「河野、ナイスファイトだったぞ」

丸井がそう言って、ポンと俺の背中を叩《たた》くと、セカンドへと戻っていった。

他のメンバーも、それぞれのポジションに戻っていく。

俺は、ぐるりと球場を見回し、空を見上げる。相変わらず日差しは強烈《きょうれつ》で、グラウンドはまるで煮《に》え立《た》っているみたいだ。

こんな暑い中で野球をやるなんて、みんな変わってるよ。そして、俺もその一員なんだと思うと笑《わら》ってしまう。でも、これはこれで悪くない。たぶん、高校では野球をやらないであろう俺にとって、一生に一度くらい、こんな風に仲間とともに熱血になるのもいい。なにかにしゃかりきになるのは苦手だったけど、今日だけは特別だ。

「よっしゃぁぁ!　しまっていこうぜ!」

俺は大声を上げ、仲間たちに気合いを入れた。

〈**佐野**〉

「なんで打ち上げるんだ！　バカ者！」

ベンチに戻《もど》ってきた松野を、監督が怒鳴《どな》りつけた。

「すいません」

小さな声で松野が答える。

「コンパクトに当てにいけ！」

どうしたんだ、監督は？　怖いけど冷静な普段《ふだん》とまるで様子が違う。

「なあ佐野、どう思う？」

隣《となり》に座る古谷が、小さな声で言った。

〝なにを〟とは言わない。でも、意味はわかった。なぜなら、同じことをボクも感じていたから。

「とにかく、もっとピッチャーを疲《つか》れさせろ！」

またファールで粘《ねば》れという指示だ。

気がついたら、ボクは立ち上がっていた。そして、監督に言っていた。

「監督、打たせてやってください！」

監督に異《い》を唱《とな》えるなんて、青葉学院野球部では絶対のタブーだ。でも、もう止まらない。正直に、自分の気持ちを話すべきだと思った。

「佐野……、なにが言いたいんだ？」

「みんなに普通に打たせてやってください。ファールで粘って、イガラシを疲れさせる作戦を、みんなは望んでいないと思います」

「勝つためだ。お前たちが、さっさと試合を終わらせていれば、こんな作戦をとらなくてすんだんだろ？」

「こんな試合になったのは、エースでありキャプテンであるボクの責任です。でも……、墨谷とは、力と力の対決をしたいんです」

監督の視線が厳《きび》しい。でも、ひるんではダメだ。キャプテンとして、考えをしっかり伝えるべきだと自分に言い聞かせた。

〈**川原監督**〉

佐野の視線が、真《ま》っ直《す》ぐに私に向けられている。

「監督、お願いします！　真《ま》っ向《こう》勝負をさせてください」

「ファールで粘《ねば》るのは、ルール違反《いはん》なのか？　これは、立派な作戦だろう。お前たちは勝ちたくないのか？　勝つことにこだわらないのか？　ここで勝って全国大会に行けば、違う景色が見られるんだ。私は、お前たちにそれを見せたいんだ。全国連覇《れんぱ》は、お前たちの夢じゃないのか？　力と力なんて、そんな小さな自己満足で、その夢を捨てるのか!?」

「ボクたちは負けるつもりはありません。必ずイガラシを打って勝ちます。あいつらとは……、墨谷とは、それじゃなきゃダメなんです。みんなに思い切り打たせてやってください」

佐野の表情は、真剣《しんけん》そのものだった。

考えてみると、私に正面から異《い》を唱《とな》えてきた部員は、佐野がはじめてかもしれない。というより、私は、彼らの意見を、今まで聞いたことがなかった。いつも、私からの指示が一方通行で彼らに伝わっていただけだ。

「監督、俺も同じ考えです」

佐野の隣《となり》まで来て、中村が言った。

「青葉の4番として、墨谷のピッチャーを打ち崩《う》《くず》せなかったことは反省してます。だから、俺たちにチャンスをください。力で、墨谷をねじ伏せてやりたいんです」

たしかに、この試合における中村のバッティングは、やや物足りないものだ。ただ、それは中村が悪いというより、墨谷のピッチャーの出来がよすぎた結果だと、私は考えていた。それは佐野も同じだ。佐野の調子は万全《ばんぜん》だった。むしろ、エースの佐野に4番の中村。今年の青葉は全国制覇《ぜんこくせいは》した昨年に比べても、はるかに強力な布陣《ふじん》だと私は信じていた。だからこそ、彼らを全国大会に連れていってやりたい。そこに、万が一の危険を冒《おか》したくはなかった。

「監督、お願いします。俺も佐野や中村と同じ意見です」

今度は古谷だった。意を決したように立ち上がり、やはり真《ま》っ直《す》ぐに私を見ている。

いや、古谷だけではない。立原《たちはら》や小池《こいけ》や野口《のぐち》らが次々と立ち上がり、同じように墨谷と真っ向勝負がしたいと主張してきた。

初めての主張だ。それは予想外のもので、一瞬《いっしゅん》、怒《いか》りを覚えたが、とても意義のあるものだと私は思った。日本一になることが長い目で見たときの、彼らの一番の財産になると思っていた。しかし、今の彼らには、もっと大切なものがあるのかもしれない。

私は目を閉じ考えた。そして決めた。彼らの意見を尊重しよう。彼らは、自分たちの考えを、初めてしっかりと主張したのだから。

「……わかった。お前たちに任せる。好きなようにやりなさい。佐野、伝令《でんれい》に行ってくれ。河《か》江《え》に自由に打つよう、そう伝えてくれ」

そう言って、私はベンチに腰《こし》をおろした。

ベンチに座《すわ》った私を見て、佐野は驚《おどろ》いたようだった。「試合中は腰をおろさない」を、私は信条《しんじょう》としていた。選手たちと一緒に戦っているという気持ちの表れのつもりだった。そのことを選手たちも知っている。

「安心しなさい。私は試合を投げたわけではない。この試合は、お前たちに任せる。自分たちのやりたいように思い切りやりなさい。それを見守らせてもらうよ」

安心したのか、佐野が嬉《うれ》しそうにベンチを飛び出していく。

勝つための最善《さいぜん》の作戦を、私たちはやめた。それによって、負ける確率もいくぶん高まったかもしれない。

でも、それでもいい。

私は今まで、「勝利」し続けることによって見える世界があるということを子どもたちに教えてきたつもりだった。だが、「敗北」からだって得られるものはある。それが彼らの成長に必要ならば、指導者としてその選択をしよう。

ベンチに座《すわ》り、グラウンドを見る。異常なまでの暑さの中、両軍の選手が、汗《あせ》や泥《どろ》にまみれて必死に戦っている。

これは普通の試合ではない。たとえ日本一になったとしても得ることのできない〝なにか〟が、この試合にはある。もう私は、なにもすべきではない。

この試合は彼らのものだ。

9th

イニング

〈小野寺舞〉

「え⁉　舞センパイ、なにしてるんですか⁉　なんでここにいるんですか？」

スタンドの一番前まで走ってやってきたわたしを見て、祥子ちゃんがビックリしている。

「今ごろ、飛行機に乗ってるとばっかり思ってたんですけど――」

「遅らせたの！　やっぱりどうしてもこの試合が見たくて！」

わたしは、息を切らして答え、そしてグラウンドを見る。

試合は11回の表。墨谷が守備についている。得点は5対5で同点だ。

見た瞬間《しゅんかん》に涙《なみだ》が出てきた。みんなのユニフォームが真っ黒だった。どれだけみんなが必死に戦ってきたか、それだけでわかる。

「もう、みんなフラフラなんです」

祥子ちゃんが涙声《なみだごえ》で言った。

それはそうだろう。今日は、この夏一番の暑さだとニュースで言っていた。その中で、これだけの長時間、試合をしているんだ。もう限界に違いない。

「みんなガンバレェェ！」

スタンドから、わたしは力の限《かぎ》り叫《さけ》んだ。

この試合を、どうしても見届《みとど》けたくなった。

祥子ちゃんからのメールで、決勝戦が延長に突入したと知って、わたしはいてもたってもいられなくなった。

野球部の応援に行きたい。わたしは、そう両親に頼み込んで、球場に駈《か》けつけた。両親には怒られたけど、それでもわたしはムリを押し通した。なんと言われても、今、自分の目に焼きつけておかなくてはいけないものがあるんだ。カメラもパソコンも必要ない。

マウンドでは、イガラシくんが投げている。

わたしの目からみても、ハッキリと疲《つか》れているのがわかる。汗《あせ》の量がすごい。

キン！

金属バットの音が響き、スタンドで墨谷を応援している仲間たちから悲鳴《ひめい》があがった。

ボールはライトの後方に飛んでいく。島田くんが追って走る――。

フェンスにぶつかりながら捕《と》った！　これでツーアウトだ。

「いいぞぉ！」

スタンドから歓声《かんせい》があがる。

「さっきからみんなの守備がすごいんです。フラフラなのに、どこにあんな力が残ってるんだろうって──」

祥子ちゃんが、泣きながら、言葉を詰《つ》まらせた。

「なんで野球部の人たちは、こんなにがんばれるんでしょう？」

もちろん野球が好きだからだ。青葉学院に勝ち、全国大会に行くという目標のために、みんなはずっとがんばってきたのだから。

でも、それだけが理由ではないとわたしは思う。そんなわかりやすくて単純な答えだけでなく、もっと大切ななにかがあり、そのためにみんなは必死に戦っているんだ。

マウンドのイガラシくんが必死に投げ続けている。そして今、三人目のバッターを三振に取り、チェンジになった。

墨谷の選手たちがベンチに戻ってきた。

「丸井くん、ガンバレェェ！」

わたしがいるのは、ベンチのすぐ上だ。丸井くんが近づいてきたので、わたしは大声で声援《せいえん》を送った。けれど、丸井くんには声が届いていないのか、まるで反応してくれなかった。

疲労が極限まできているのだろう。顔を見ただけでわかる。丸井くんだけじゃない。みんな泥《どろ》まみれで汗《あせ》をかき、歩くのもやっとという状態だ。

こんなになっても、みんなは野球をやっているんだ。

がんばってほしいという気持ちと、もうやめてもいいよ、だってみんなはここまで十分に戦ってきたんだからという気持ちが、わたしの中でないまぜになった。

けれど、わたしにはどうすることもできない。

わたしにできるのは、ただ見守って応援《おうえん》するだけ。でも、どんなことがあっても、最後まで絶対に見届《みとど》ける。そうわたしは決心した。

〈丸井〉

11回の表、イガラシが三振でスリーアウトをもぎ取った。

こんなにフラフラなのに、それでもイガラシは三振を取る。どれだけ精神力が強いんだ。試合が終わったわけでも、勝負がついたわけでもないのに、涙がこぼれそうになる。

「丸井さん……9回あたりから、青葉の攻め方が変わってきましたね」

隣《となり》に座ったイガラシが、そう声をかけてきた。俺とは対照的《たいしょうてき》に、当のイガラシは冷静だ。

「佐野が伝令《でんれい》に出てきてからだな」

「なんででしょうね？　ファールを打って粘《ねば》る作戦は、やられるほうとしては、たまったもんじゃないですけど、正解だったと思いますけどね」

「さぁ、なんでだろうな？」

そう答えたが、俺にはわかるような気がした。正解より大事なものがあるんだ。

伝令を終え、ベンチに戻《もど》るときに、佐野が俺の顔を見た。

（決着をつけようぜ）

佐野の顔がそう言っていた。もちろん実際に話したわけじゃない。でも、俺にはわかる。佐野も俺と同じキャプテンだ。佐野も青葉の連中も、墨谷と同じくらいの練習をしてきたはずだ。あいつらも知りたいんだ。どっちの〝情熱〟が強いのかを。

(望むところだ)

俺も目で、そう佐野に答えた。

「監督さん、いらっしゃいますか?」

ベンチまで主審《しゅしん》がやってきて杉田先生に声をかけた。

先生がグラウンドに出て、主審と話を始めた。

なんだ? 先生は監督だけれど、野球のことはわからないはず。俺は、キャプテンとして杉田先生のもとへと向かった。

「――もう、墨谷の選手たちは限界じゃありませんか?」

そんな主審の声が聞こえてきた。あわてて俺は割《わ》って入《はい》る。

「大丈夫《だいじょうぶ》です! まだまだ俺たちは余裕《よゆう》ですから!」

そう主審と杉田先生に声をかけた。

「いや、とてもそうは思えない。見てごらん、自分たちのベンチを」

そう主審に言われて、俺は振《ふ》り返《かえ》り、ベンチを見た。

みんなボロボロだった。誰《だれ》も彼《かれ》もが疲《つか》れ果《は》てている。

「気温は38度を超えたと連絡《れんらく》が入りました。選手たちの体調が心配です」

主審は、俺ではなく、杉田先生に向かって言った。

「わかりました。教師《きょうし》として、責任をもって判断します」

そう言って先生はベンチに戻《もど》っていく。俺は、先生に並びかけた。

「丸井君、もし本当に危険《きけん》だと判断したら、私は試合を止める。教師として、大人としての判断だ。わかるね?」

「……はい」

つまり試合放棄《しあいほうき》ということか。たしかにみんなの様子を見ていると、これ以上戦いを強《し》いることは酷《こく》なのかもしれない。

でも……

俺はもう一度打席に立ちたい。そして、俺自身の力で試合を決めてやりたい。

「お願いします！　もう少し待ってください！　まだ大丈夫ですから！」

「わかった」

小さな声で杉田先生が答えた。その顔は、今まで見たことがないほど険《けわ》しい表情をしていた。


〈イガラシ〉


試合は12回の攻防に入った。

「イガラシ、頼《たの》む！　がんばってくれ！」

丸井さんの絞《しぼ》り出《だ》すような声が聞こえた。

丸井さんから事情は聞いた。次の回で試合を放棄《ほうき》する可能性が高いということを。

はっきり言って悔《くや》しい。試合を放棄するなんて、絶対にしたくない。気力はまだある。それなのに、もう体がほとんど動かなくなってきている。体力が尽《つ》きかけている。

でも、俺は投げる。やめろと言われるまで、俺はいつまでだって投げ続けてやる。絶対に自分からギブアップはしない。

前を見て、胸《むね》を張《は》れ！

自分に言い聞かせる。小室のキャッチャーミットだけを見て、そこを目がけて投げればいい。

俺は、気力をふり絞って、12回表のピッチングを始めた。

〈丸井〉

12回裏の攻撃が始まった。得点は5対5の同点のまま。打順は1番からの好打順だ。

「滝、頼むぞ！」

声を出すのもしんどい。でも俺はキャプテン。最後まで先頭に立って戦おうと、なんとか自分を奮《ふる》い立《た》たせた。

隣《となり》に座《すわ》るイガラシを見る。イガラシは目を閉じ、ぐったりとしていた。

「おい、大丈夫《だいじょうぶ》か？」

「えっ!?　あぁ、大丈夫ですよ」

ゆっくりと目を開けて、イガラシが答えた。

さすがのイガラシも限界だろう。12回表のピッチングで、イガラシは死力を尽《つ》くして投げ、三者凡退《ぼんたい》に抑《おさ》えた。もう、イガラシの球に力はなかった。でも、イガラシの気力が勝った。青葉のバッターは、ことごとく打《う》ち損《そん》じ、誰も出塁《しゅつるい》できなかった。

そしてイガラシは今、俺の隣《となり》で静かに目を閉じている。もうこれ以上、イガラシに無理をさせることはできない。いや、イガラシだけじゃない。みんな疲《つか》れ切《き》っている。みんなは、もう十分戦ってくれた。

杉田先生が険《けわ》しい表情で俺を見ていた。先生は決断したはずだ。おそらくこの回が最後だ。

滝が三振して、加藤がバッターボックスに入る。そして3番バッターである俺も、バットを手に立ち上がった。

「イガラシ、たとえ、このまま終わっても、もうお前は打たなくていいからな。ゆっくり休んでろ」

加藤も見逃《みのが》しの三振だった。もうバットを振る力も残っていないようだ。

俺はバッターボックスに入り、バットを構える。

俺たちは、よく戦ったな。墨谷の仲間には感謝しかない。

(みんな、見てろよ)

心の中で、みんなに声をかけた。俺は、なんの取《と》り柄《え》もないキャプテンだったけど、最後に俺なりの全力のプレーを見せてやるから!

「いくぞォ!」

腹の底から声を出した。最後の気合いであり、めいっぱいの強がりだった。

第1球。

いきなり絶好球が来た!

思い切りバットを振る。三遊間《さんゆうかん》のゴロになった。深い位置でショートが捕《と》る。

全力で走った。全力なのに、足は重く、いつまでたってもファーストにたどり着けない。転がるように、俺は頭から滑《すべ》り込《こ》んだ。

「セーフ!」

審判《しんぱん》の声が聞こえた。

とりあえず出塁《しゅつるい》した。ぶかっこうなヒットだけど、全力を出しきった。

ベンチを見る。イガラシが、バットを手に、ゆっくりと歩き出した。

〈**イガラシ**〉

ゆっくり休めとか言われたけど、自分はそんなに無理しちゃって……。丸井さん、そんながんばりを見せられて、休んでなんていられるわけがないよ。まったく酷《こく》なキャプテンだぜ。

バットを手に、ゆっくりとバッターボックスに立った。

「イガラシさん、がんばってください!」

もう、誰の声かもわからない。ベンチからたくさんの声援《せいえん》が聞こえた。

第一球。ファール。

ダメだ。振《ふ》り遅《おく》れている。気合いを入れろ!

丸井さんのリードが小さい。疲《つか》れてしまって、さっきのように大きなリードでピッチャーの集中力をそぐことができなくなっているようだ。おそらく丸井さんは、もう走れないだろう。

ピッチャーがセットポジションに入った。

もう俺も全力で走れない。

ヒットじゃダメだ、バットを振り抜いてやる！

ストレートだ。なにも残すな！　すべてを出し切るんだ！

バットを思い切り振った。

カキ――――ン！

気持ちのいい金属バットの音が響《ひび》いた。それに続いて、ものすごい歓声《かんせい》が聞こえてきた。小さな球場が揺《ゆ》れているようだ。

ボールの行方《ゆくえ》を見る。

高々と上がった打球は、そのままレフトスタンドへと飛び込んでいった。

よかった。ホームランだ。

そう思った瞬間《しゅんかん》に、俺の意識はどこか遠くへ飛んでいきそうになった。

いや、ダメだ。走らなくちゃ。でも、急ぐ必要はない。ホームランなんだ。ゆっくり走ればいい。

俺は、勝利の喜びを噛《か》みしめながら、静かに第一歩を踏《ふ》み出《だ》した。

〈丸井〉

イガラシ！　イガラシ‼　イガラシ!!!　やっぱり、お前は、すごい奴《やつ》だ！　声に出して叫《さけ》びたかった。でも、声に出したら、涙声《なみだごえ》になってしまうだろう。

あんなにしんどかったのに、元気が戻《もど》ってきた。俺はセカンドベースを回り、サードへと向かう。

一塁側ベンチを見ると、青葉の監督が拍手《はくしゅ》をしていた。

その隣《となり》に佐野がいる。佐野の表情は、よく見えなかった。

ホームインしてベンチに戻る。

ベンチの上のスタンドに小野寺の姿《すがた》が見えた。あれ？　どうして小野寺がここにいるんだ？　別にいいか。俺たちの勝ったところを見てくれていたんだ。泣いている小野寺に、俺はガッツポーズをした。

「丸井さ〜ん！」

泣きながら近藤が、ベンチから飛び出してきた。抱《だ》き合《あ》って喜ぶ。近藤だけじゃない。みんなが俺を笑顔で迎《むか》えてくれた。

ＯＢの先輩《せんぱい》たちが、大きな拍手《はくしゅ》を送ってくれていた。優勝することができたのは、間違いなく、みんなのおかげだ。俺、谷口さんみたいなキャプテンにはなれなかったけど、谷口さんみたいにチームを引っ張れなかったけど、部員たちが俺を支《ささ》えてくれて、俺はみんなと一緒に進むことができたんだ。

「イガラシさ〜ん！」

近藤の大声が聞こえた。見ると、フラフラのイガラシが、ようやくホームベースに戻《もど》ってこようとしていた。

「イガラシィィ！」

俺は、ホームベースの手前まで駆《か》けつけ、イガラシを待った。
早く来い！　お前は、本当にすごい奴だ！
イガラシがしっかりとホームベースを踏《ふ》んだ。
その瞬間《しゅんかん》、俺は、飛びかかるようにイガラシに抱《だ》きついた。

エピローグ

夏休み。今日は、最後の練習の日だ。

この日、俺たちは3年生はユニフォームを着ない。ただ、後輩《こうはい》たちに別れのあいさつをし、そのあとでキャプテンを指名してからグラウンドを去る。

俺は、新キャプテンとしてイガラシを指名した。当然だろう。イガラシ以外にチームを引っ張れる奴なんていない。そして、イガラシ以上に〝日本一〟への情熱を持っている奴もいない。

「みんなは、全国大会の悔《くや》しさを忘れずに、新キャプテンであるイガラシのもと、がんばって練習にはげんでほしい。以上だ」

そう俺は、あいさつを締めくくった。

俺たちは、全国大会を1回戦で大敗していた。青葉戦ですべてを出《だ》し尽《つ》くした墨谷二中は、ほとんどの選手がボロボロの状態だった。イガラシも近藤も、誰もが体を痛《いた》めていた。万全《ばんぜん》な状態でない俺たちにとって、全国の壁はあまりにも高かった。昨年日本一になった青葉を破った俺たちが、1回戦でみじめに負けるのは、青葉に申し訳なかったが、その後に会った佐野は、そんな文句を一言も言わなかった。

「じゃあな、イガラシ、がんばれよ」

イガラシに声をかけ、俺は、他の３年たちとともに歩き出した。

これが毎年のしきたりだ。余計なことを言わないで、後輩たちにあとを託《たく》してグラウンドを去る。歴代《れきだい》のキャプテンである今井さんも谷口さんもそうしていた。

だから、俺もそうするつもりだった。

でも、でも……

ガマンできず、グラウンドに戻《もど》るために走り出した。

背後から加藤の声が聞こえた。でも、俺の足は止まらない。

「おい、丸井！」

「みんな！　ホントにありがとう！」

イガラシが、新キャプテンとしてのあいさつをしようとするところだった。キョトンとした顔でイガラシが俺を見ている。

「ごめん、イガラシ。でも、もう少し言わせてくれ！」

そう言って、もう一度後輩たちの顔を見回した。言葉が、自然とあふれ出てきた。

「俺、ホントにダメなキャプテンだった。短気でキレてばっかで、谷口さんとくらべて、全然、ダメなキャプテンだった。でも、お前たちはついてきてくれた。お前たちが、俺を支えてくれた。お前たちが俺をキャプテンにしてくれたんだ！　本当にありがとう」

そう言って、深く頭を下げた。

地面にポタリと水滴《すいてき》が落ちた。俺は、泣いていた。

いつから泣いていたんだろう？　どうする？　俺は考えた。情《なさ》けない泣き顔を見せていいのか？　俺は頭を下げた状態のまま、しばらく固まってしまった。

「あの……丸井さん？」

イガラシが声をかけてきた。

決めた。開き直るしかない。俺は、そんなカッコつけるようなガラじゃない。泣き顔なんて見られたって平気だ。そのまま頭を上げた。

涙がどんどんあふれてくる。いくら泣き顔を見られて平気だといっても、これではまるで小さな子どもだ。

「みんな、ありがとう！」

最後にもう一度、それだけ言って、頭を下げた。そして、そのまま後輩たちの顔を見ずに、俺は3年たちのところへと歩き出した。

「全員、気をつけ!」

背後からイガラシの大きな声が聞こえた。

「丸井さんや、3年生の先輩方に最後の感謝のあいさつだ。全員、帽子《ぼうし》を取れ!」

立ち止まり、振り返った。全員が、帽子を取り、整列して俺たちを見ていた。

「ありがとうございました!」

まずイガラシがそう言って頭を下げた。

「ありがとうございました!」

続いて他の後輩たちが声をそろえて言った。

もうダメだ。また涙があふれ出てきた。

「がんばれよォ!」

俺は手を振ってこたえた。

「がんばれ! イガラシ、頼んだぞォ!」

まだ、ここで野球を続けたい。戻っていって、みんなと話がしたい。

でも、ダメだ。これからはイガラシキャプテンのもと、新しい墨谷二中野球部をあいつらが作っていくんだ。

「がんばれよォ!」

歩きながら何度も振り返ると、俺は、後輩たちにエールを送り続けた。あんまりしつこく手を振り続けるから、島田や加藤が苦笑《にがわら》いしていた。

校舎の角《かど》が見えてきた。ここを曲がると、もうグラウンドは見えない。

最後にもう一度、振り返った。みんなはまだ俺たちを見送っていた。

「みんなぁ、がんばれよォォ!」

もう一度だけ大きな声で言って、俺はブンブンと大きく腕《うで》を振《ふ》った。


〈丸井編・終わり〉

○ちばあきお
本名・千葉亜喜生。1943年生まれ。『サブとチビ』（なかよし）でデビュー。『キャプテン』（月刊少年ジャンプ）で、野球マンガの新境地をひらく。『キャプテン』、『プレイボール』（週刊少年ジャンプ）で、第22回小学館漫画賞を受賞。1984年没。享年41歳。

○山田明
1965年生まれ。関東学院大学経済学部卒。『マラバ・テマルとの十四日間』（リンダパブリッシャーズ）で、第2回日本エンタメ小説大賞優秀賞を受賞。『トカレフクラブ』で、第2回松田優作賞準グランプリを受賞。

キャプテン　答えより大事なもの
2017年6月13日　第1刷発行
2022年12月15日　第6刷発行

原作　ちばあきお
小説　山田明
発行人　土屋徹
編集人　芳賀靖彦
編集長　目黒哲也
　安藤聡昭

発行所　株式会社Gakken
　〒141-8416　東京都品川区西五反田2-11-8
印刷所　大日本印刷株式会社

この本に関する各種お問い合わせ先
●本の内容については、下記サイトのお問い合わせフォームよりお願いします。
https://www.corp-gakken.co.jp/contact/
●在庫については　Tel 03-6431-1197（販売部）
●不良品（落丁、乱丁）については
Tel 0570-000577
学研業務センター
〒354-0045　埼玉県入間郡三芳町上富279-1
●上記以外のお問い合わせは　Tel 0570-056-710（学研グループ総合案内）

ISBN 978-4-05-204646-9　NDC913